Vous êtes en scène

French for role-playing situations: a new approach

J.E. McGurn

Illustrated by James Wood

Nelson

Thomas Nelson and Sons Ltd
Nelson House Mayfield Road
Walton-on-Thames Surrey
KT12 5PL UK

51 York Place
Edinburgh
EH1 3JD UK

Thomas Nelson (Hong Kong) Ltd
Toppan Building 10/F
22A Westlands Road
Quarry Bay Hong Kong

Thomas Nelson Australia
102 Dodds Street
South Melbourne Victoria 3205
Australia

Nelson Canada
1120 Birchmount Road
Scarborough Ontario
M1K 5G4 Canada

First published by Thomas Nelson and Sons Ltd 1986

ISBN 0-17-439022-X
NPN 9 8 7 6 5

Printed in Hong Kong

Preface

The aim of this book is to help French language learners to cope actively and effectively with twenty everyday situations likely to come the way of the visitor to France. The book can be used at many levels, but will be of particular interest to GCSE pupils, to adult education classes and to those involved in the graded tests which are so popular.

The role-play material can be used in many ways but is designed primarily to be acted out. Each chapter begins with a humorous playlet or sketch containing the phrases and vocabulary basic to a given situation. These playlets use varied and unusual storylines, which represent a departure from the predictability of the standard survival dialogues and the banality of the humdrum activities of conventional families in most course books. Exercises follow, giving practice in the basic material. Once familiarity and confidence have been built up, the language learner is encouraged to use the basic material creatively, in patterns of his or her own making, determined by his or her own personality and wishes.

This book builds on the success of *Tolles Theater*, its German predecessor. It is not a translation: all the sketches and exercises have been thought out anew.

My thanks go to Sally, my wife, who took on an unequal share of the housework and childcare while this book was being written. I am also grateful to Diana Hornsby and Robin Sawers for their encouragement and guidance. I am deeply indebted to Béatrice Rozier who, at every stage, provided invaluable, detailed advice on the language content.

I found the following books most useful and am indebted to their authors:
Susan Holden: *Drama in Language Teaching* (Longman 1981)
Alan Maley and Alan Duff: *Drama Techniques in Language Learning*, 2nd edition (Cambridge University Press 1978)

J. McG.

Introduction

Role-playing has rightly become an important element in language teaching. However, it is not always handled with sufficient imagination thus causing learners to lose interest and motivation. *Vous êtes en scène*, like *Tolles Theater* its German counterpart, aims to provide a new approach based on classroom experience and an awareness of such dangers. It has been customary first to present a standard situational dialogue consisting of a bare and colourless succession of key phrases, and to follow this with exercises in which the key phrases are repeated with variations, usually simple substitutions. Such a procedure can invite boredom, especially if the exercises become an end in themselves.

This book sets out to teach the wording of the standard survival situations, and to teach them thoroughly, but without losing the learner's motivation. This is done by creating interest in the crucial situational sketches which begin each chapter by means of humour and unusual storylines. The unconventionality of these presentation sketches does not obscure the key phrases but on the contrary serves to make them come alive. Reasonably short and linguistically accessible, the sketches give meaning and context to the key phrases as succinctly, economically and interestingly as possible. They are also so designed that they may be used in a variety of ways. Some will use them as texts to be analysed; others will choose pair or group work (see below) leading to structured improvisation. However, to avoid frustration and loss of morale it is vital to prime pupils with enough information for them to appreciate unaided the gist or punchline of a sketch. I suggest that key phrases and vocabulary be picked out of the text and perhaps written out before pupils move on to the exercises.

The exercises are designed not only to give practice in the material just presented, but also to take learners gently onwards towards more open-ended situations requiring more imagination. Such improvisation must of course be supported by a sound knowledge of the basic material. However, not all the exercises in a set, which contain varying degrees of difficulty to suit a range of ability, need be attempted by any one learner. Also they can be used in a variety of ways – spoken, written down, acted out, analysed, by individuals, by groups or by a class – so the instructions often leave such choices open. The final exercises consist of scenarios where a degree of improvisation is called for.

Guidelines for teachers

The presentation sketches can be dramatised, but if read one must avoid the typical monotone by ensuring that the students know what the words mean and generate vitality and variety by all possible means. Also participants must be at their ease, both with their task and with those with whom they will work, so they need clear instructions (in English) to be given at the outset, and the chance to plan, discuss and experiment in pairs and groups before embarking on a sketch. And since most opposition comes from those who claim they doubt the value of the method (but in reality feel self-conscious and threatened), it is essential they should be convinced of its merits.

Some practicalities: 1. Provide plenty of space. 2. Provide props – hats, menus, pens, aprons and letters help to conjure up an imagined scene. 3. Reinforce the basic material half way through a group work session if the pupils have drifted away from the original. 4. Presenting the work of all groups to the class is time-consuming and can be tedious, so either record parts of each group's work and play back a complete version consisting of selected extracts, or select a limited number of groups to perform. A further method would be to pair one group with another; both groups present their own performance, each one listening critically to the work of the other.

Contents

1 Risque d'avalanches

A situational playlet practising phrases you need when you don't understand

Une vallée dans les Alpes.
Un guide conduit une touriste anglaise au milieu des montagnes couvertes de neige.

LA TOURISTE [*d'une voix forte*] Ah! J'adore la neige!
LE GUIDE [*à voix basse*] Moi aussi, mais taisez-vous, s'il vous plaît.
LA TOURISTE Pardon? C'est quoi en anglais?
LE GUIDE [*très agité*] Je ne sais pas, Madame. Mon anglais n'est pas très bon. Mais taisez-vous, quoi!
LA TOURISTE Je ne comprends pas, Monsieur. Pouvez-vous parler plus lentement?
LE GUIDE [*exaspéré, il crie*] Silence! Ou vous allez causer une avalanche. Vous me comprenez? . . . Ah non . . . . C'est de ma faute maintenant! Excusez-moi. [*L'avalanche tombe.*]
LA TOURISTE Ah! Je comprends! Des avalanches.
LE GUIDE Trop tard, Madame, c'est trop tard.

1 *Look again at the sketch and pick out the French for:*

a) Sorry? / Pardon?
b) What's that in English?
c) Could you talk more slowly?
d) Do you understand me?
e) I don't know.
f) I don't understand.
g) My English is not very good.
h) I'm sorry / I apologise.
i) I understand.

2 *Mr. Gilham is on holiday in France. As he wanders round an open market he suddenly finds that one of the traders is talking to him. Fill in the missing words.*

LA MARCHANDE Un beau chou-fleur, Monsieur. Pour dix francs.
MR. GILHAM P_____?
LA MARCHANDE Un chou-fleur, Monsieur. Pour dix francs.
MR. GILHAM E______-moi, Madame. Mon français n'___ pas t___ b__. Pouvez-vous p_____ plus l________?
LA MARCHANDE Chou-fleur! Vous me c________?
MR. GILHAM Non, je ne c________ p__, Madame.
LA MARCHANDE Regardez. Voici un chou-fleur.
MR. GILHAM Ah! Cauliflower! Je c________!
LA MARCHANDE Très bien, Monsieur. Ça coûte dix francs, s'il vous plaît.
MR. GILHAM Merci, Madame, mais je déteste les choux-fleurs.

3 *Sam is ill and a French doctor is trying to explain what is wrong with him. Work out what Sam's actual words are and then practise the dialogue.*

LE MÉDECIN Vous avez la rougeole.
[*Sam asks what that is in English*]
LE MÉDECIN Je ne sais pas. C'est une maladie contagieuse.
[*Sam asks him to speak more slowly*]
LE MÉDECIN Pardon. C'est . . . une . . . maladie . . . contagieuse.
[*Sam says he's sorry and that his French is not very good*]
LE MÉDECIN Un instant. J'ai un dictionnaire. Ah oui! Measles.
[*Sam says he understands and thanks him*]

4 *Which phrases might be used by an English speaker such that a French speaker might answer as shown? The missing phrases are all in the opening sketch.*

a) ___ ________ _'___ ___ ____ ___ .
– Au contraire. Votre français est très bon.

b) ______-____ ______ ____ _________ ?
– Excusez-moi. Je parle trop vite (too fast).

c) _'___ ____ __ _______ ?
– Je ne sais pas. Je ne parle pas anglais.

d) __ _________ .
– Excellent! Vous comprenez vite.

5 *Using the key phrases you have been practising, make up conversations in which people have difficulty understanding. You can base your conversations on the pictures and words below.*

Arrêtez-vous!	Stop!
Le pont est abîmé!	The bridge is damaged!
Quoi?	What? (not as polite as 'pardon?')
Hein?	Eh? (even less polite)

Attention!	Look out!
Un paquebot arrive!	There's a ferry coming!
Espèce d'idiot!	You idiot!
Vous êtes sourd?	Are you deaf?
C'est dangereux de ramer par là!	It's dangerous to row there!

6 *Use what you have learned so far to make up a conversation based on the following misunderstanding. A secret agent must first identify, and then pass information to another agent. He gives the codeword to the wrong person and confusion sets in.*

un agent secret	a secret agent
le mot de passe	the codeword
Je répète	I repeat
Qui êtes-vous?	Who are you?
Je suis désolé(e)	I am very sorry

2 Le jour du dernier job

A situational playlet based on meeting and getting to know someone

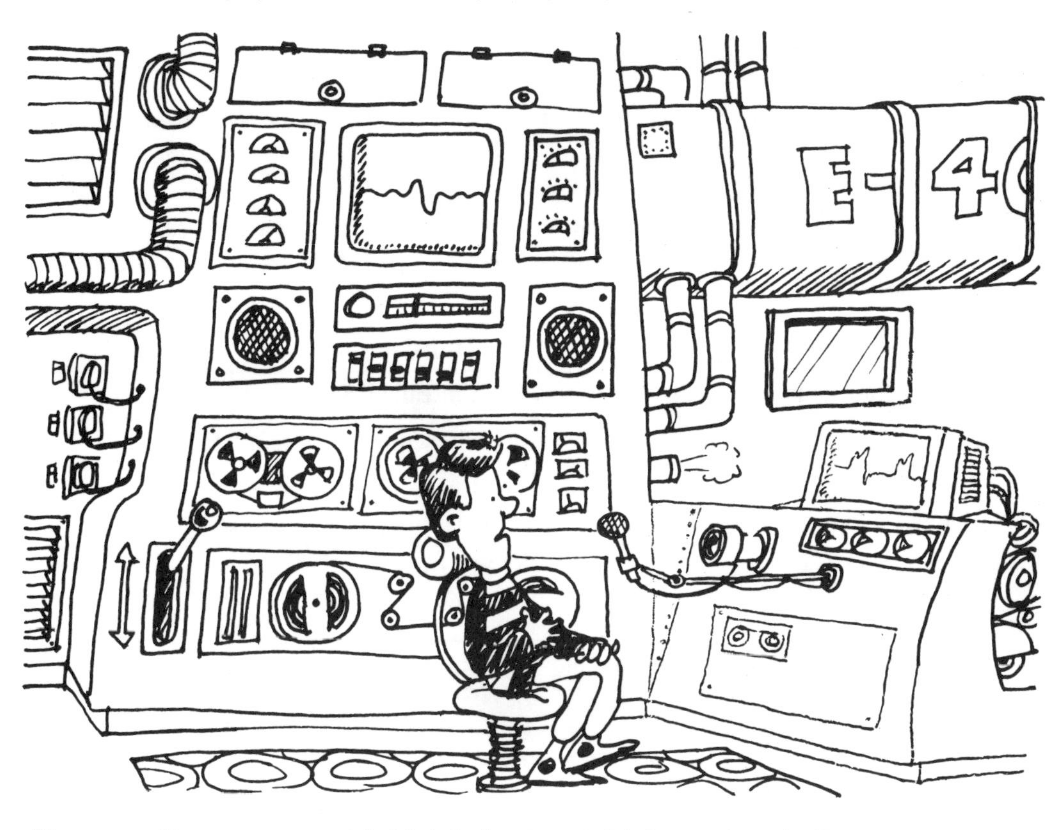

L'an 2000. Tout est automatisé. Mais le dernier emploi du monde, à la Compagnie Calculturex, est vacant. Serge Sincère, candidat, s'approche de l'ordinateur principal de la compagnie.

SERGE Bonjour! Je m'appelle Serge Sincère.

L'ORDINATEUR Nom de famille: Sincère. Prénom: Serge. Continuez.

SERGE Et vous, comment vous appelez-vous?

L'ORDINATEUR Quoi? Moi? Je m'appelle Formule Douze.

SERGE Enchanté, Monsieur . . . ou Madame. Je suis intéressé par l'offre d'emploi.

L'ORDINATEUR Oui. D'où venez-vous?

SERGE Je viens de Paris.

L'ORDINATEUR Où habitez-vous en ce moment?

SERGE J'habite à Paris, à la Colonie des Humains. Mon adresse, c'est 9, avenue de la Liberté.

L'ORDINATEUR Quel âge avez-vous?

SERGE J'ai seize ans.

L'ORDINATEUR Quels sont vos passe-temps favoris?

SERGE Je m'intéresse à la technologie: j'aime les jeux vidéo, mais je préfère jouer au billard électronique, une création de la superbe Compagnie Calculturex.

L'ORDINATEUR Quelle intelligence! Félicitations! Vous avez le poste.

SERGE À propos, c'est quelle sorte d'emploi?

L'ORDINATEUR Vous êtes gardien du courant électrique. Le grand interrupteur est à gauche. Ah! Ne le touchez pas! Ne le touchez....

[*Serge coupe le courant, ouvre la fenêtre, et répond aux hourras des milliers de gens assemblés en bas*]

1 *André is being interviewed by Madame Moule for a job at a 'colonie de vacances', a children's holiday camp. By picking out key phrases from the sketch, and altering some details, put their conversation into its French form.*

Madame Moule says:	**André says:**
What's your name?	I'm called André Lambert.
I'm called Madame Moule.	Pleased to meet you, Madame.
Pleased to meet you, André. Where do you come from?	I come from Dieppe. My address is 9, rue Danton.
How old are you, André?	I'm sixteen.
What are your hobbies?	I like to play billiards.
The job is yours. Congratulations.	

2 *Jacques Panier left school two years ago. He loves outdoor pursuits and fears a life of boredom in his home town, Lille, so he runs away to Marseille, to join the Foreign Legion (la Légion Étrangère). Here he is being interviewed by Colonel Dusable. Decide which answers Jacques is most likely to give to the Colonel's questions.*

1 Comment vous appelez-vous?

a) Je m'appelle Dusable.
b) Mon nom de famille est Jacques.
c) Je m'appelle Jacques Panier.

2 D'où venez-vous?

a) Je viens de Marseille.
b) Je viens de Lille.
c) Je viens de Paris.

3 Quelle est votre adresse à Marseille?

a) 15, rue des Mineurs à Lille.
b) J'habite la rue du Port, au numéro 10.
c) Appartement 3, la Tour Eiffel.

4 Quel âge avez-vous?

a) J'ai dix-huit ans.
b) J'ai quatorze ans.
c) Je suis très âgé.

5 Quels sont vos passe-temps favoris?

a) J'aime collectionner les cartes postales.
b) J'aime faire de l'athlétisme et du camping.
c) J'adore mon école.

6 Alors, acceptez-vous la discipline de la Légion?

a) La discipline est très importante.
b) Non, je préfère la musique classique.
c) Félicitations! Le poste est à vous.

3 *The table below will help you to describe some interests.*

Je déteste	jouer au football. jouer au ping-pong. jouer au basket.
Je n'aime pas	collectionner les timbres. collectionner les cartes postales. collectionner les poupées.
J'aime	faire de la peinture. faire du ski. faire la cuisine.
Je préfère	lire. nager. danser.
J'adore	la musique. le jardinage. le cyclisme.

How would you say that you:

a) like music
b) love playing basketball
c) hate gardening
d) prefer to paint
e) don't like cooking
f) love to play football
g) hate dancing
h) like to collect postcards
i) prefer to play table tennis
j) love collecting stamps
k) don't like going skiing
l) like cycling
m) love swimming
n) like collecting dolls
o) prefer reading

4

So far in this chapter all the questions asked have been in quite formal situations. You must put your questions differently when talking to close friends, fellow teenagers, children and relatives.

FORMAL		INFORMAL
Comment vous appelez-vous?	→	Comment t'appelles-tu?
Quel âge avez-vous?	→	Quel âge as-tu?
D'où venez-vous?	→	D'où viens-tu?
Où habitez-vous?	→	Où habites-tu?
Quelle est votre adresse?	→	Quelle est ton adresse?
Quels sont vos passe-temps?	→	Quels sont tes passe-temps?

Work out which questions caused each of the following answers to be given. Make sure each question is asked in the informal, more friendly way, as shown above.

a) J'ai dix ans.
b) Je viens de Deauville, en Normandie.
c) La musique classique et le cyclisme.
d) Claudine, Claudine Benoît.
e) 15, Mulberry Grove à Leeds.
f) J'aime collectionner les timbres.
g) J'habite à Toulouse en ce moment.
h) Je viens de Charleroi, en Belgique.
i) Moi? Je m'appelle Henri.
j) Rue Jeanne d'Arc, au 12.
k) Vingt ans.
l) J'habite à Boulogne-sur-Mer.
m) Je m'appelle Jacques.
n) Le camping et les échecs.
o) J'ai six ans et demi.
p) Rue Pétrin, Immeuble Gautier, appartement 8.

5

Work out what was asked in each of these situations. Some questions were formal, others were informal.

6 *Make up a sketch in which someone in column A seeks basic information (name, age, etc.) from someone in column B.*

A

douanier / douanière
(customs official)
agent de police
(policeman / woman)
médecin
(doctor)
avocat(e)
(lawyer)
journaliste
(journalist)
intervieweur
(interviewer)
nouveau voisin / nouvelle voisine
(new neighbour)

B

chanteur(euse) pop
(pop singer)
patient(e)
(patient)
footballeur(euse)
(footballer)
capitaine d'un navire
(ship's captain)
vedette de cinéma
(film star)
millionnaire
(millionaire)
prisonnier / prisonnière
(prisoner)

3 C'est urgent!

A situational playlet based on a telephone call

Monsieur Casier travaille à la mairie. Le téléphone sonne. C'est une femme très anxieuse qui appelle.

LA FEMME Allô? Je voudrais parler à Monsieur le Maire, s'il vous plaît.

M. CASIER Monsieur le Maire n'est pas là en ce moment, Madame. Qui est à l'appareil, s'il vous plaît?

LA FEMME C'est Madame Flûte, la boulangère.

M. CASIER Ah oui. C'est à quel sujet?

LA FEMME Pouvez-vous arrêter ces bulldozers? C'est un crime de démolir un bâtiment historique. Qui est responsable?

M. CASIER Je mange un sandwich en ce moment, Madame Flûte. Pouvez-vous rappeler plus tard?

LA FEMME Certainement pas!

M. CASIER Dans ce cas, Monsieur le Maire vous rappellera plus tard. Quel est votre numéro de téléphone?

LA FEMME Mais c'est très urgent, Monsieur. Ils font une grave erreur.

M. CASIER Eh bien, Madame. Je vous écoute. Quel bâtiment est-ce qu'on démolit?

LA FEMME C'est la mairie, Monsieur! Regardez par la fenêtre.

1 *Here are some lines from a telephone conversation. By picking out key phrases from the opening sketch, and altering some details, give the French version of:*

a) Hello?
b) It's Monsieur Cartier, the mayor.
c) What's it about?
d) I'd like to talk to the manager, please.
e) The manager is not here at the moment.
f) Could you ring back later?
g) But it's very urgent.
h) The manager will ring you back later.
i) What is your telephone number?

2 *Fill in the gaps in the following telephone conversation.*

A___? Oui, c'est le Palais de l'Élysée.
Q__ ___ _ l'a_______?
Ah, bonjour, mon Général. C'est à quel sujet?
Non, Monsieur le Président n'___ ___ __ __ __ m_____.
Il prend son bain. C'___ ____ u_____?
P_____-____ r_______ ____ ____?
Vous avez pressé le mauvais bouton?
Calmez-vous, mon Général.
Monsieur le Président v___ r_________ ____ ____.
Quel est v____ n_____ de t________?

3 *Complete these telephone conversations by following the English guidelines.*

a) Allô? Madame Voitot à l'appareil. C'est à quel sujet?
[*Say who you are, and ask to speak to Jean.*]
Jean n'est pas là en ce moment. Pouvez-vous rappeler plus tard?
[*Say it's very urgent.*]
Je regrette, mais Jean est au cinéma.
[*Thank Madame Voitot and say goodbye.*]

b) *This time someone rings you, and speaks first.*

Allô?
[*Say who you are and ask who is speaking.*]
C'est le Docteur Hergé. Je voudrais parler à Mademoiselle Blois, s'il vous plaît.
[*Say she is not there at the moment and can the doctor ring back later.*]
Impossible. Je dois visiter une patiente dans cinq minutes. Pouvez-vous demander à Mademoiselle Blois de rappeler plus tard?
[*Say yes, Mademoiselle Blois will ring back later.*]
Merci et au revoir.

4 *Using the key phrases you have been practising, make up conversations which take place on the telephone. The following ideas might help you.*

Au secours!	Help!
une inondation	a flood
Envoyez un bateau	Send a boat
Vous m'entendez?	Can you hear me?
Je répète	I repeat
La ligne est mauvaise	It's a bad line
Parlez plus fort	Speak up

Passez-moi le 22-31-27, s'il vous plaît
Give me 22-31-27, please
Allô, maman
Hello mum
J'ai eu un petit accident
I've had a little accident
Je ne suis pas blessé
I'm not injured
Je vais prendre l'autobus
I'll take the bus

5 *Now make up your own sketch based on a telephone call. You may wish to use this setting as a starting point.*

4 Un cordon bleu!

A situational playlet based on conversation at table

Sophie Lesage et sa mère ont invité à dîner Tim Trimble, un jeune Anglais. Tim est arrivé. Il est timide mais poli.

SOPHIE	Assieds-toi, Tim. Je reviens dans dix minutes.
MADAME LESAGE	Mais Sophie, le dîner est servi!
SOPHIE	Je dois me laver les cheveux, maman.
MADAME LESAGE	Eh bien, à table, Tim.
TIM	Merci, Madame. J'ai faim.
MADAME LESAGE	Aimez-vous la soupe à l'oignon?
TIM	Je regrette mais je n'aime pas ça.
SOPHIE	[*En criant de la salle de bains*] Essaie la salade, Tim. C'est moi qui l'ai faite.
MADAME LESAGE	Alors, vous voulez de la salade?
TIM	Oui, je veux bien, Madame.
MADAME LESAGE	Voilà, bon appétit.
	[*Tim mange. La salade est horrible.*]
TIM	Voulez-vous me passer l'eau, s'il vous plaît?

SOPHIE	[*De la salle de bains*] Elle est bonne, la salade?
TIM	Euh . . . oui. Elle est excellente.
MADAME LESAGE	Encore de la salade, Tim?
TIM	Oh non, ça me suffit, Madame. [*Il se tient l'estomac. Soudain, Sophie pousse encore un cri.*]
SOPHIE	Ce n'est pas du shampooing, ça! Quelle horreur! J'ai de l'huile de table dans les cheveux!
MADAME LESAGE	Quoi? Dans ce cas, avec quoi as-tu fait la salade, Sophie? [*Des bulles de shampooing s'échappent de la bouche de Tim. Madame Lesage court à la cuisine pour examiner la bouteille d'huile. Quand elle revient, Tim n'est pas là.*]
MADAME LESAGE	Mais où est Tim? Tiens, voici un mot. . . . «Je rentre d'urgence en Angleterre. Merci pour votre hospitalité, Tim.»

1 *Look at Madame Lesage's and Sophie's lines in the opening sketch and pick out the French for:*

a) Sit down.
b) Do you like onion soup?
c) Try the salad.
d) Would you like some salad?
e) There you are.
f) Is the salad all right?
g) More salad?

Now look at Tim's lines and pick out the French for:

a) I'm hungry.
b) I'm sorry but I don't like it.
c) Yes, I'd like some.
d) Would you pass me the water, please?
e) It's excellent.
f) I've had enough.
g) Thanks for having me.

2 *The table below will help you to say how you feel about certain foods and drinks.*

Je déteste Je n'aime pas J'aime Je préfère J'adore	le poisson. les haricots verts. les pommes de terre. les chips. les pêches. le jus d'ananas. les oeufs. les gâteaux. le vin blanc. le café au lait.

How would you say that you:

a) hate eggs.
b) like potatoes.
c) love cakes.
d) prefer white coffee.
e) don't like white wine.
f) like green beans.
g) don't like pineapple juice.
h) hate peaches.
i) love crisps.
j) prefer fish.

3 *Choose the response, a, b or c, which seems most likely.*

1 Vous aimez ces pommes?

a) Sur la table, Monsieur Lesage.
b) Mais oui, elles sont délicieuses.
c) Bien sûr, mais où sont le sel et le vinaigre?

2 Voilà, Joanne. Essayez ce vin blanc.

a) Excellent! J'ai très faim.
b) Excellent! Je peux me laver les cheveux avec.
c) Je regrette, mais je n'aime pas l'alcool.

3 Vous voulez une omelette?

a) Je regrette, mais je n'aime pas les oeufs.
b) Je regrette, mais je déteste les carottes.
c) Sur la table dans la cuisine, Madame.

4 Pouvez-vous me passer le jus d'orange?

a) Je veux bien, merci.
b) Non, je déteste ça.
c) Voilà.

5 Vous voulez encore du pain?

a) Voilà, bon appétit!
b) Je veux bien. Il est horrible.
c) Non, Madame. Ça me suffit.

6 Vous préférez le café ou le thé?

a) Au lait, s'il vous plaît.
b) En France, le café; en Angleterre, le thé.
c) Oui, je les préfère.

4 *Monsieur and Madame Carnot have invited you to lunch, and you have arrived late. Can you get by in French?*

M. CARNOT Asseyez-vous, le déjeuner est servi.
[*Thank him and say that you are hungry*]

MME CARNOT Vous voulez de la salade de tomates?
[*Say yes, you would like some*]

M. CARNOT Voilà, et bon appétit.
[*Say it's excellent and that you adore tomato salad. Ask Mme Carnot to pass the pâté*]

MME CARNOT Avec plaisir . . . Il est bon, le pâté?
[*Say you're sorry but you don't like it*]

M. CARNOT Essayez la soupe. La voilà . . . Elle est bonne?
[*Say you like the soup*]

MME CARNOT Vous voulez encore de la soupe?
[*Say no, you have had enough*]

M. CARNOT Regardez l'heure! Votre train part dans trois minutes. Vite, à la gare!
[*Thank them for having you and say goodbye*]

5

ET VOUS?

Vous aimez le jus d'oignon?
Vous aimez la soupe à l'artichaut?
Vous aimez les bananes?
Voulez-vous un yaourt?
Voulez-vous un gâteau?
Voulez-vous me passer l'eau minérale?
Voulez-vous me passer le camembert?
Il est bon, le pain?
Elle est bonne, la tarte au concombre?
Encore du vin?
Encore de la laitue frite?

6

Using the key phrases you have been practising, make up conversations which might occur at table. You might base your conversations on the pictures and extra vocabulary which follow.

le couteau	knife
la fourchette	fork
la cuiller	spoon
l'assiette (f)	plate
la tasse	cup
le verre	glass
la bouteille	bottle
le sel	salt
le poivre	pepper

le petit déjeuner	breakfast
le déjeuner	lunch
le dîner	evening meal
la sauce	gravy/sauce
la moutarde	mustard
le pain	bread
la viande	meat
le poisson	fish
du beurre	(some) butter
du lait	(some) milk

du gâteau	(some) cake
de la confiture	(some) jam
de la bière	(some) beer
de la glace	(some) ice cream
des fraises	(some) strawberries
des frites	(some) chips
des moules	(some) mussels
(trop) chaud	(too) hot
froid	cold
délicieux(euse)	delicious
doux/douce	sweet
amer/amère	bitter
j'ai faim	I'm hungry
j'ai soif	I'm thirsty

5 Le repas du gorille

A situational playlet set in a restaurant

Les clients du restaurant «Lulu» mangent joyeusement. Mais, soudain, le silence se fait. Un gorille gigantesque entre, accompagné d'un petit homme distingué.

L'HOMME DISTINGUÉ Mademoiselle! Une table pour deux, s'il vous plaît.

LA SERVEUSE Mais le restaurant est complet, Monsieur.

[*Le gorille pousse un cri sauvage et les clients évacuent la salle*]

L'HOMME DISTINGUÉ Voyez, Mademoiselle. Voilà une table de libre.

LA SERVEUSE Quel animal stupide!

L'HOMME DISTINGUÉ Mais vous offensez mon patient. Je suis le Docteur Bof, psychiatre célèbre. Et voici Monsieur Jules Poileux. Il se prend pour un gorille.

LA SERVEUSE Dans ce cas, asseyez-vous.

L'HOMME DISTINGUÉ Merci beaucoup ... Le menu, s'il vous plaît.

LA SERVEUSE Voilà, Monsieur. [*Il lit le menu*] Vous désirez?

L'HOMME DISTINGUÉ Je voudrais un hors-d'oeuvre ... des radis au beurre. Et ensuite je voudrais une côtelette de porc.

LA SERVEUSE Et pour le gorille?

L'HOMME DISTINGUÉ	Qu'est-ce que vous prenez, Monsieur Poileux? [*Le gorille lui chuchote quelque chose à l'oreille*] D'accord. Mademoiselle, avez-vous un sandwich aux bananes pour Monsieur Poileux?
LA SERVEUSE	Certainement. Et comme boisson?
L'HOMME DISTINGUÉ	Rien, merci. Mais faites vite. Monsieur Poileux a très faim. [*Deux minutes plus tard la serveuse apporte le hors-d'œuvre et le sandwich*]
LA SERVEUSE	Voilà, Monsieur. Bon appétit . . . Mais où est le gorille?
L'HOMME DISTINGUÉ	Monsieur Poileux? Sous la table. Il mange sa chaise. Vous voyez, il adore le bambou.
LA SERVEUSE	Mais alors, vous payerez la chaise!
L'HOMME DISTINGUÉ	Mais certainement, Mademoiselle. Il est évident que mon patient est toujours gravement malade. Nous quittons ce restaurant tout de suite. L'addition, s'il vous plaît. Et c'est au tour de Monsieur Poileux de payer.

1 *Look again at what the waitress said and pick out the French for:*

1) The restaurant is full.
2) Take a seat.
3) What would you like?
4) Anything to drink?
5) There you are, sir. Enjoy your meal.

Now look again at what the man said and pick out the French for:

1) Waitress!
2) A table for two
3) There's a free table
4) The menu, please
5) I'd like an hors d'oeuvre
6) Do you have a banana sandwich?
7) What are you having, Monsieur Poileux?
8) Nothing, thanks
9) The bill, please

2 *Fill in the gaps so that this conversation makes sense.*

CLIENT	Garçon! Une t_ _ _ _ p_ _ _ six, s'il vous plaît.
GARÇON	Voilà une table de l_ _ _ _ , près de la fenêtre.
CLIENT	Et je voudrais le m_ _ _ , s'il vous p_ _ _ _ .
GARÇON	Voilà. Vous d_ _ _ _ _ _ ?
CLIENT	Je v_ _ _ _ _ _ _ une salade de tomates comme hors d'oe_ _ _ _ . Et puis la truite aux amandes.
GARÇON	Et comme b_ _ _ _ _ _ ?
CLIENT	Du vin blanc, s'il v_ _ _ p_ _ _ _ .
GARÇON	Et c_ _ _ _ dessert?
CLIENT	A_ _ _-v_ _ _ de la mousse au chocolat?
GARÇON	Non, Monsieur. Je suis désolé.
CLIENT	Dans ce cas je v_ _ _ _ _ _ _ une crème caramel.
GARÇON	Merci, Monsieur.

3 *Here are some lines from restaurant conversations. They have been split into two: Rearrange the column B lines to match up with the column A lines.*

A	B
Avez-vous une table pour	est complet.
Le restaurant	vous.
Asseyez-	une tarte aux fraises.
Garçon! Où est	désirez?
Vous	comme dessert, Charles?
Et comme	quatre?
Qu'est-ce que vous prenez	appétit!
Je voudrais	voudrais l'addition.
Je	le menu, s'il vous plaît?
Bon	boisson, du vin rouge, peut-être?

4 *You have just sat down in a café and the waiter is suddenly by your elbow. Can you get by?*

LE GARÇON Vous désirez?
VOUS [*Ask if he has any croissants*]
LE GARÇON Je regrette, mais nous n'avons pas de croissants.
VOUS [*Say you'd like a sandwich*]
LE GARÇON Certainement. Au fromage, au jambon, au pâté?
VOUS [*Tell him you'd like a cheese sandwich*]
LE GARÇON Et comme boisson? Un café, un thé, une limonade?
VOUS [*You'd like a coffee*]
LE GARÇON Un café noir ou un café crème?
VOUS [*A white coffee*]
LE GARÇON Eh bien. Un sandwich au fromage et un café crème. Merci.

5 *Use the key phrases you have learned so far to make up a sketch of your own, in which a customer chooses from the menu opposite. Also provided are a few extra phrases for you to include.*

J'ai réservé une table	I've reserved a table
J'arrive	I'm coming
Est-ce que le service est compris?	Is the tip included?
Le service {**est compris** / **n'est pas compris**}	The tip is {included / not included}
Apportez-moi....	Bring me....
Je reviens tout de suite	I'll be back in a moment
Un pourboire	A tip

3 rue Gilbert, 69002 Lyon, tél (7) 800-58-20

MENU A LA CARTE

HORS D'OEUVRES

Salade de tomates	12,00
Salade variée	12,50
Sardines au beurre	14,50
Oeuf mayonnaise	12,25
Melon	10,00

POTAGES

Potages du jour	10,00
Potage aux champignons	12,50
Soupe à l'oignon	12,00

POISSONS

Saumon fumé	28,00
Truite au bleu	32,00
Sole meunière	37,00

VIANDES

Côtelette de porc	26,00
Rôti de boeuf	26,00
Canard à l'orange	38,00
Poulet rôti	27,00
Steak au poivre	27,00

SPECIALITES maison

Quiche lorraine	15,00
Goulache hongroise	22,00
Escargots (la demi-douzaine)	22,00

LEGUMES

Petits pois	8,50
Haricots verts	8,00
Tomates à la provençale	11,50
Riz	6,50
Frites	6,50
Pommes de terre à l'anglaise	6,50

DESSERTS

Glaces	12,50
Salade de fruits	10,00
Crème caramel	9,25
Pâtisserie	13,50
Pêche melba	11,25

SERVICE NON COMPRIS : 15% EN SUS

6 *Make up a sketch set in a café. Base your sketch on the information given you by this bill. Also provided are a few extra phrases you may need in a café.*

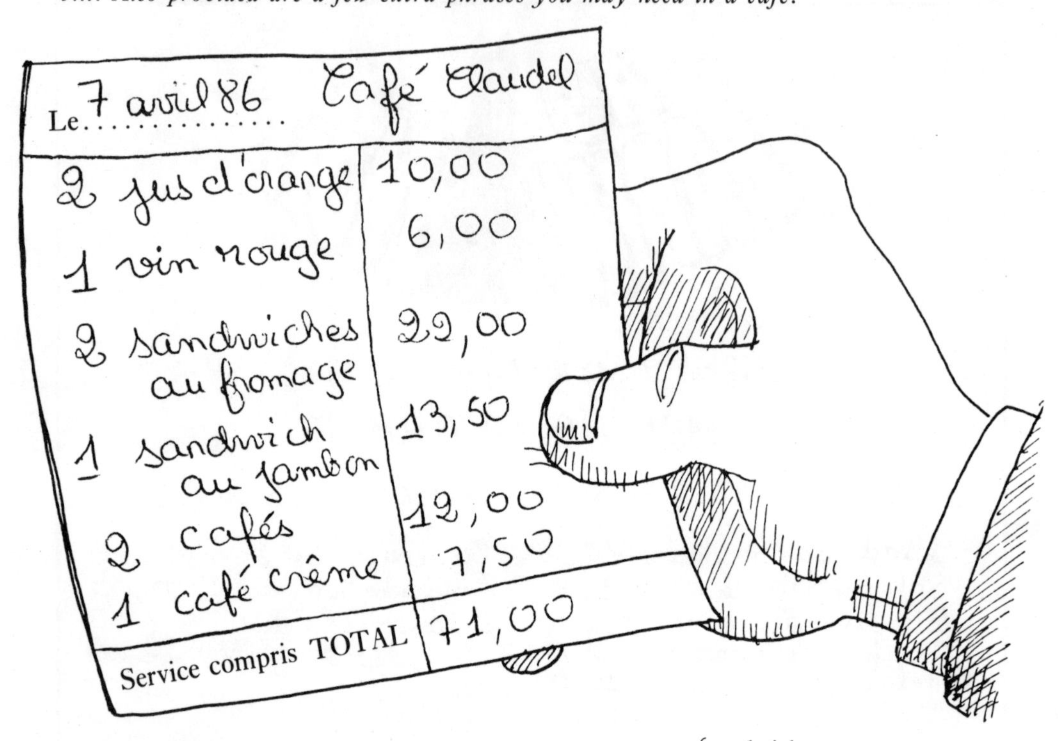

Qu'est-ce que vous avez comme {sandwiches? / jus de fruits?}	What kind of {sandwiches / fruit juices} do you have?
Un autre {jus d'orange / café / sandwich}	Another {orange juice / coffee / sandwich}
Il faut payer à la caisse	You pay at the till
Voilà votre monnaie	Here's your change

6 Des ennuis à l'hôtel

A situational playlet set in a hotel

Diamants et fourrure autour du cou, un chien pékinois dans les bras, une dame entre dans un hôtel. Le réceptionniste, qui s'ennuie, décide de s'amuser.

LE RÉCEPTIONNISTE	Bonjour, Madame. Vous avez réservé?
LA DAME	[*d'un ton dédaigneux*] Non. Vous avez une chambre de libre pour cinq nuits?
LE RÉCEPTIONNISTE	Une chambre à un lit?
LA DAME	Oui.
LE RÉCEPTIONNISTE	Avec salle de bains?
LA DAME	Oui.
LE RÉCEPTIONNISTE	Avec téléphone?
LA DAME	Évidemment.
LE RÉCEPTIONNISTE	Avec télévision en couleur?
LA DAME	Bien sûr que oui.
LE RÉCEPTIONNISTE	Avec balcon et vue sur la mer?
LA DAME	Oui, avec tout ça, et avec petit déjeuner naturellement. Ça fait combien?

LE RÉCEPTIONNISTE 1000 francs par nuit, service non compris....
LA DAME Magnifique! Quelle joie d'être aussi riche que moi!
LE RÉCEPTIONNISTE ... mais je regrette, Madame, l'hôtel est complet.
LA DAME Quelle impudence! Écoutez bien. Soit vous me trouvez une chambre, soit j'achète cette ruine d'hôtel et je vous mets à la porte!
LE RÉCEPTIONNISTE Ah! La suite royale! Je peux vous donner la suite royale.
LA DAME Je la prends.
LE RÉCEPTIONNISTE À quel nom, Madame?
LA DAME Médor.
LE RÉCEPTIONNISTE Voulez-vous remplir cette fiche, Madame?.... Merci. Votre suite est au troisième étage. Et voilà votre clef, Madame Médor.
LA DAME Vous êtes idiot! Médor, c'est mon chien. La suite est pour lui. Moi, je pars en vacances. Traitez-le bien, sinon....

1 *Put these conversations into French. The phrases you need are all to be found somewhere in the opening sketch, although you will need to change a few minor details.*

a) MONSIEUR CHABOT Do you have a single room available for three nights?
LA RÉCEPTIONNISTE With a bathroom?
MONSIEUR CHABOT Of course. And with a telephone and a television.
LA RÉCEPTIONNISTE Yes, Sir, I can give you a room.
MONSIEUR CHABOT How much is it?
LA RÉCEPTIONNISTE 150 francs a night, with breakfast.
MONSIEUR CHABOT I'll take it.
LA RÉCEPTIONNISTE What name, please?
MONSIEUR CHABOT Chabot.
LA RÉCEPTIONNISTE Could you fill in this form, please?
MONSIEUR CHABOT Certainly....
LA RÉCEPTIONNISTE Thank you. Here is your key. Room 7 on the second floor.

b) MADAME VAUBAIN A single room for one night – how much is it, please?
LA RÉCEPTIONNISTE 160 francs a night. But have you reserved, Madam?
MADAME VAUBAIN No. Have you a room free?
LA RÉCEPTIONNISTE I'm sorry, the hotel is full.

2 *The table below shows you how to ask for the room or rooms you want.*

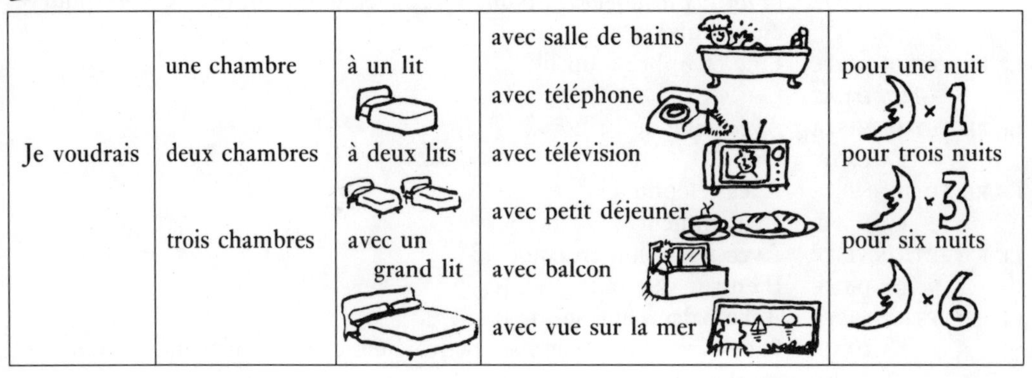

Je voudrais	une chambre deux chambres trois chambres	à un lit à deux lits avec un grand lit	avec salle de bains avec téléphone avec télévision avec petit déjeuner avec balcon avec vue sur la mer	pour une nuit pour trois nuits pour six nuits

Now work out what was said in these conversations.

(a) LA RÉCEPTIONNISTE Bonjour, Monsieur.

L'HOMME Bonjour. Je voudrais une chambre ,

et 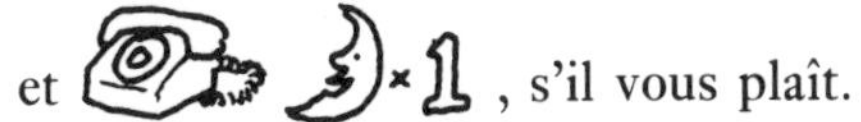 , s'il vous plaît.

LA RÉCEPTIONNISTE Très bien, Monsieur. Je peux vous donner la chambre 8.

L'HOMME Ça fait combien?

LA RÉCEPTIONNISTE 200 francs par . Le est compris.

L'HOMME Je la prends.

LA RÉCEPTIONNISTE Parfait. Voilà votre . Et voulez-vous remplir cette fiche?

(b) LA DAME Avez-vous une chambre ?

LA RÉCEPTIONNISTE Non, pas de , Madame. Mais nous avons une chambre .

LA DAME Ah non. Je préfère avec .

LA RÉCEPTIONNISTE Un instant.... Ah oui! Nous avons une chambre .

LA DAME Bon. Je la prends.

LA RÉCEPTIONNISTE Pour combien de nuits?

LA DAME ×2 , s'il vous plaît.

3 *Below are some things a guest might say to a receptionist. In each case decide which response seems most likely.*

1 J'ai réservé une chambre.

a) Je la prends.
b) Très bien. À quel nom, Monsieur?
c) Magnifique!

2 Vous avez une chambre de libre pour six nuits?

a) Ça fait combien?
b) Mais c'est un hôtel ici.
c) Je regrette, l'hôtel est complet.

3 Vous avez une chambre avec téléphone?

a) Hôtel Splendid à l'appareil.
b) Oui. À un ou deux lits?
c) Oui. La cabine téléphonique est à gauche.

And here the receptionist speaks first:

4 Avez-vous réservé?

a) Non. Avez-vous une chambre de libre?
b) Oui. À quel nom, Mademoiselle?
c) Merci beaucoup. Je la prends.

5 Voulez-vous remplir cette fiche?

a) Ça fait combien?
b) D'accord. Avez-vous un stylo?
c) La fiche est au deuxième étage.

6 Je peux vous donner la chambre deux avec un grand lit.

a) Formidable! Je la prends.
b) Non. Je préférerais une chambre pour deux personnes.
c) Deux lits? Non. Un lit sera suffisant.

4 *Here is a conversation which took place at the beginning of a guest's stay:*

LE CLIENT	Elles font combien les chambres?
L' HÔTELIER	Ça dépend. La chambre à un lit, 100 francs par nuit. À deux lits, ou avec un grand lit, 120 francs par nuit.
LE CLIENT	Avec salle de bains?
L'HÔTELIER	Non. Ça coûte 20 francs par chambre et par nuit de plus. Mais le petit déjeuner est compris.
LE CLIENT	Bon. Je voudrais une chambre à deux lits et avec salle de bains pour quatre jours, une chambre avec un grand lit et avec salle de bains pour deux jours, et deux chambres sans (*without*) salle de bains pour deux jours.

Imagine now that it is the guest's last day and that you are the hotelier. The guest has ordered no extra services during his stay. Write out the bill and tot up the total.

5 *Now make up some hotel dialogues of your own. Here are some ideas you may wish to use, and below are some extra phrases.*

a) A wealthy person wants the best of everything, money no object.
b) An elderly person needs a certain type of room as he/she has difficulty walking.
c) A very poor couple want to save as much money as possible.
d) An entire football team urgently needs accommodation for the night.
e) An inspector of hotels pretends to be a guest.

Y a-t-il	**un ascenseur** **un restaurant** **une cabine téléphonique** **une discothèque** **une salle de télévision**	à l'hôtel?	Is there	a lift a restaurant a 'phone box a discotheque a television room	in the hotel?

C'est un peu cher pour moi	It's a bit dear for me
Vous avez des bagages?	Do you have any luggage?
Nous avons trois valises	We have three cases
repas servis dans les chambres	room service
tout confort	every comfort
chauffage central	central heating
au rez-de-chaussée	on the ground floor
au premier étage	on the first floor

7 À la Banque de Beaulieu

A situational playlet based on changing money

Mrs. Stevens est arrivée en vacances dans le petit village de Beaulieu. Elle voudrait changer de l'argent mais le seul commerce est une épicerie.

MRS. STEVENS Bonjour, Monsieur. Y a-t-il une banque près d'ici, s'il vous plaît? Ou un bureau de change?

L'ÉPICIER Mais oui, Madame, c'est ici. Asseyez-vous à la table là-bas.

Elle s'assied à une table, parmi les fromages et l'huile d'olive. Sur le mur, une enseigne: "Banque de Beaulieu". L'épicier s'assied aussi, et pose sur la table une pancarte: "Change".

MRS. STEVENS Ça alors! Euh, la livre est à combien aujourd'hui?

L'ÉPICIER La livre? 11,50 francs. Mais nous avons des francs suisses tout frais, arrivés ce matin – à 3 francs la livre, et des francs belges à 80 francs la livre. C'est une affaire exceptionnelle, Madame.

MRS. STEVENS Donnez-moi des francs français, s'il vous plaît. Est-ce que vous acceptez les chèques de voyage?

L'ÉPICIER Mais oui, Madame.

MRS. STEVENS Bon. Je voudrais toucher ce chèque de voyage de 20 livres et puis je voudrais changer ce billet de 10 livres.

L'ÉPICIER Vous avez une pièce d'identité? . . . . Merci, Madame. Voulez-vous signer ici? . . . . Parfait. Présentez ce papier à la caisse.

MRS. STEVENS Où est la caisse?

L'ÉPICIER [*Sans bouger il remplace la pancarte «Change» par la pancarte «Caisse»*] Elle est ici, Madame . . . . Merci. Et voilà vos 345 francs. C'est tout, Madame?

MRS. STEVENS Non, je voudrais aussi un kilo de pommes de terre et une boîte d'allumettes.

1 *Look at what Mrs Stevens said in the opening sketch and pick out the French for:*

a) Is there a bank near here?
b) an office where you can change money
c) What is the pound worth today?
d) French francs
e) Do you accept traveller's cheques?
f) I'd like to cash this traveller's cheque for twenty pounds.
g) I'd like to change this ten pound note.

Now look at what 'l'épicier' said and pick out the French for:

h) Swiss francs
i) Belgian francs
j) at 80 francs to the pound
k) Do you have some means of identification?
l) Would you sign here please?
m) Take this slip to the cash desk.
n) Is that everything?

2 *Where you see a gap there is a figure missing. Work out what it should be.*

a)
VOUS Je voudrais changer 20 livres sterling en francs français. La livre est à combien aujourd'hui?
L'EMPLOYÉ À 10 francs. Vous recevrez donc ________ francs.

b)
VOUS Je voudrais changer 50 livres sterling en francs belges. La livre est à combien aujourd'hui?
L'EMPLOYÉ À 70 francs belges. Vous recevrez donc ________ francs.

c)
VOUS Je voudrais changer 100 livres en francs suisses. La livre est à combien aujourd'hui?
L'EMPLOYÉ À 3 francs suisses. Vous recevrez donc ________ francs.

d)
VOUS La livre est à combien aujourd'hui?
L'EMPLOYÉ À ________ francs français.
VOUS Bon. Je voudrais toucher ce chèque de voyage de 20 livres.
L'EMPLOYÉ Voulez-vous signer ici? ... Merci. Ça fait 220 livres.

e)
VOUS La livre est à combien aujourd'hui?
L'EMPLOYÉ À ________ francs belges.
VOUS Bon. Je voudrais toucher ce chèque de voyage de 10 livres.
L'EMPLOYÉ Voulez-vous signer ici? ... Merci. Ça fait 600 francs.

f)
VOUS La livre est à combien aujourd'hui?
L'EMPLOYÉ À ________ francs suisses.
VOUS Bon. Je voudrais toucher ces chèques de 20 livres.
L'EMPLOYÉ Voulez-vous signer ici? ... Merci. Ça fait 160 francs.

3 *On the left are the beginnings of certain sentences and on the right are the endings, in a jumbled order: match them up. Only one arrangement really makes sense (and do not ignore question marks).*

Y a-t-il un bureau de change	signer ici?
La livre	ce papier à la caisse.
Est-ce que vous acceptez les chèques	est à la maison.
Je voudrais changer ce billet	près d'ici?
Voulez-vous	est à combien?
Présentez	de cent francs.
Je voudrais toucher un chèque de vingt	de voyage Thomas Cook?
Ah non! Mon passeport	livres.

4 *You are changing money. Can you get by in French, following the guidelines?*

[*Ask what rate the pound is today*]
L'EMPLOYÉ La livre sterling est à 11,50 francs aujourd'hui.
[*Ask for the rate in Swiss francs (en francs suisses)*]
L'EMPLOYÉ Elle est à 3,20 francs suisses.
[*Say you would like to cash three £20 traveller's cheques into French francs*]
L'EMPLOYÉ Certainement . . . Merci. Avez-vous une pièce d'identité? . . . Merci.
[*And you would like to change a £10 note into Swiss francs*]
L'EMPLOYÉ Oui. Voulez-vous signer ici? . . . Présentez ce papier à la caisse.

5 *Make up sketches of your own based on the pictures below, or on ideas of your own.*

Vous n'avez pas entendu?
Have you not heard?
C'est incroyable.
It's incredible.
La banque est juste en face.
The bank is just opposite.
La livre est faible.
The pound is weak.
Le franc est fort.
The franc is strong.
Je suis désolé(e).
I'm very sorry.

L'ANGLAIS [*devant le bureau de change*]
Hé! Vous allez en Angleterre?
LA FRANÇAISE [*qui passe*] Oui.
L'ANGLAIS Voulez-vous changer de l'argent?
LA FRANÇAISE ....
L'ANGLAIS ....
....
....

8 Un paradis terrestre

A situational playlet based in a tourist information office

Bétonbourg n'est pas une ville pittoresque. Peu de gens vont au syndicat d'initiative. Mais un jour, un touriste s'approche du comptoir.

LE TOURISTE Bonjour, Mademoiselle.

L'EMPLOYÉE [*Elle se réveille*] Ah! Bienvenue à Bétonbourg, cité du soleil, paradis du plaisir . . . .

LE TOURISTE Merci, Mademoiselle. Mais il pleut à torrents. Dites-moi, qu'est-ce qu'il y a à visiter à Bétonbourg?

L'EMPLOYÉE Voyons. Il y a une maison du seizième siècle, derrière le supermarché.

LE TOURISTE Ah oui? Quelles sont les heures d'ouverture?

L'EMPLOYÉE La maison est fermée en ce moment: la clef a été volée.

LE TOURISTE Avez-vous une liste des restaurants de la ville? . . . Merci. [*Il regarde la liste*] La Grenouille Graisseuse c'est par où, s'il vous plaît?

L'EMPLOYÉE Voilà un plan de la ville, Monsieur. La Grenouille Graisseuse est . . . ici.

LE TOURISTE Oh! C'est loin. Où est-ce qu'on peut louer une bicyclette, Mademoiselle?

L'EMPLOYÉE Pas à Bétonbourg. On roule en voiture par ici. Il y a des magasins de bicyclettes à Toulouse, mais c'est à vingt kilomètres d'ici.

LE TOURISTE J'y vais tout de suite, en courant, sous la pluie. Et je ne reviendrai jamais, jamais de la vie! [*Il sort*]

L'EMPLOYÉE Bétonbourg vous laisse toujours un souvenir inoubliable.

1 *Look again at the sketch and pick out the French for:*

a) Welcome to Bétonbourg.
b) What is there to see in Bétonbourg?
c) There's a 16th century house.
d) When is it open?
e) The house is closed at the moment.
f) Have you a list of the restaurants in the town?
g) Where is the Grenouille Graisseuse, please?
h) Here's a map of the town.
i) It's a long way.
j) Where can I hire a bicycle?
k) It's twenty kilometres from here.

2 *Fill in the gaps using the words below.*

MME BENOÎT Avez-vous une __________ des hôtels, s'il vous plaît?

L'EMPLOYÉ Voilà, Madame.

MME BENOÎT Merci. [*Elle regarde la liste*] L'hôtel Danton, c'est par __________ , s'il vous plaît?

L'EMPLOYÉ C'est à dix __________ d'ici, rue Baumier.

MME BENOÎT Mais c'est __________ . Et l'hôtel Beau Rivage, c'est par où?

L'EMPLOYÉ Rue de Brecy, à trois kilomètres d'__________ .

MME BENOÎT Y a-t-il un __________ ?

L'EMPLOYÉ Oui. Il part dans une heure.

MME BENOÎT Vraiment? Où est-ce qu'on peut __________ une voiture par ici?

L'EMPLOYÉ Au garage juste en face, Madame. Mais il est __________ aujourd'hui.

MME BENOÎT Quelle malchance! Dites-moi, Monsieur, qu'est-ce qu'il y a à __________ dans cette ville?

L'EMPLOYÉ Voilà un __________ de la ville. Voyons. . . . Il y a le __________ du __________ siècle.

MME BENOÎT Ah bon! Quelles sont les heures d'__________ ?

L'EMPLOYÉ De 9 à 16 heures tous les jours.

MME BENOÎT Merci, Monsieur.

plan	fermé	château	liste	louer
où	bus	visiter	kilomètres	ici
	loin	douzième	ouverture	

3 *By solving each clue down discover, running horizontally, the name of an important French city.*

1) Le musée est à deux __________ d'ici.
2) J'ai faim. Y a-t-il un bon __________ près d'ici?
3) [376] Il y a une maison du __________ siècle.
4) Une question fréquente au syndicat d'initiative: Qu'est-ce qu'il y a à __________ dans cette ville?
5) Nous avons décidé de faire une excursion. Où est-ce qu'on peut __________ une voiture?
6) On roule en voiture par __________ .
7) Il y a un château du 18ème __________ .
8) Avez-vous une __________ des hôtels?
9) Les heures d'__________ sont de 10 à 16 heures tous les jours.

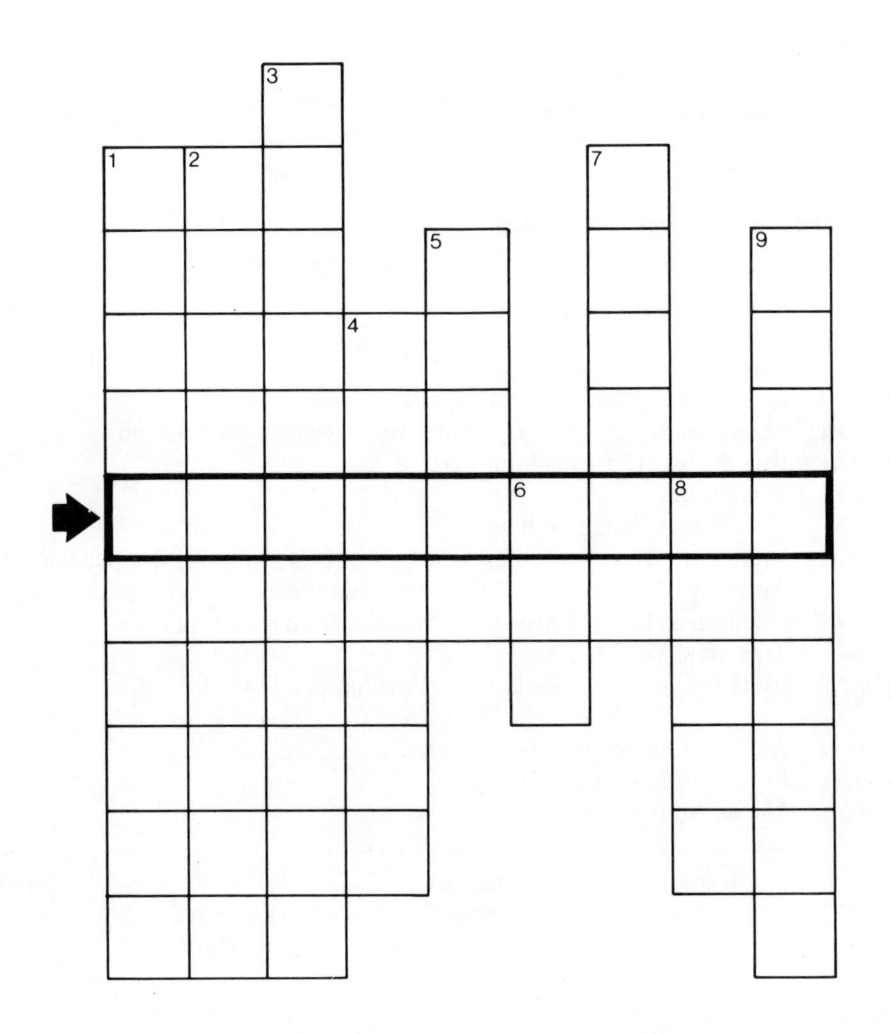

4 *You are at the counter in a tourist information office. Can you get by?*

VOUS	[*Ask if they have a list of the hotels*]
L'EMPLOYÉ	Bien sûr. Voilà une liste des hôtels et des restaurants.
VOUS	[*You spot an interesting hotel: ask the way to the Hotel Villon*]
L'EMPLOYÉ	C'est assez compliqué. Vous tournez à gauche. Continuez et prenez la troisième rue à droite et la deuxième à gauche....
VOUS	[*Ask if they have a map of the town*]
L'EMPLOYÉ	Certainement. Voilà. L'Hôtel Villon est ... ici.
VOUS	[*Say thank you and ask what there is to see in the town*]
L'EMPLOYÉ	Il y a l'église Saint-Martin qui date du 16ème siècle; il y a un musée.
VOUS	[*You are interested in the museum. Ask about the opening times*]
L'EMPLOYÉ	De 10 à 17 heures. Il est fermé le dimanche.
VOUS	[*Ask where you might hire a bicycle*]
L'EMPLOYÉ	Il y a un magasin de bicyclettes avenue des Loriots.
VOUS	[*Say thank you*]
L'EMPLOYÉ	De rien.

5 *Now make up sketches of your own. Below, to help you, are three common topics of enquiry and extra vocabulary.*

Accommodation

le camping	campsite
l'auberge de jeunesse	youth hostel
la chambre	room
la pension	full board
la demi-pension	half board
fermé le jeudi	closed on Thursdays
Il y a trois catégories: A, B et C.	There are three categories: A, B and C.

Buildings of Interest

la tour	tower
le pont	bridge
la cathédrale	cathedral
les ruines	ruins
en bois	(made of) wood
en pierre	(made of) stone
historique	historic
du moyen âge	mediaeval

Possible Activities

Vous pouvez....	You can....
Est-ce qu'on peut...?	Is it possible to...?

aller au jardin public	go to the public gardens
aller à la piscine	go to the swimming baths
aller voir une pièce au théâtre	go to see a play at the theatre
faire une excursion à Dijon	go on an excursion to Dijon
acheter des antiquités	buy antiques
louer un canot	hire a boat
jouer au tennis	play tennis
trouver un guide	find a guide

9 Le colis qui respire

A situational playlet based in a post office

Une femme est à un guichet à la poste. Elle parle à l'employé.

LA FEMME C'est combien pour poster une carte postale pour l'Angleterre?
L'EMPLOYÉ Deux francs, Madame.
LA FEMME Donnez-moi cinq timbres à deux francs, s'il vous plaît.
L'EMPLOYÉ Voilà. Ça fait dix francs.
LA FEMME Et je voudrais envoyer ce colis en Angleterre.
L'EMPLOYÉ [*En regardant le colis, qui est extrêmement gros*] Mon Dieu! C'est un vrai déménagement! Mettez-le sur la balance, Madame.

Elle soulève le colis mais il est trop lourd et elle le laisse tomber. Un cri s'échappe du colis.

L'EMPLOYÉ Oh! Qu'est-ce qu'il y a dedans?
LA FEMME C'est un . . . un accordéon. Oui, c'est un vrai accordéon français, un cadeau pour mon oncle.
L'EMPLOYÉ Ah oui? Voulez-vous remplir ce formulaire pour la douane?
LA FEMME Certainement . . . Il arrivera quand?
L'EMPLOYÉ Dans une ou deux semaines.
LA FEMME Comment? Ça va plus vite par avion?
L'EMPLOYÉ Non, Madame, c'est la même chose.

LA FEMME Pauvre Charles! Ça fait combien pour le colis?
L'EMPLOYÉ Voyons . . . Il pèse quarante kilos. Ça fait quatre cents francs.
LA FEMME Quoi? C'est plus cher qu'un billet d'avion! Charles! [*Elle parle au colis*] Sors vite! Tu peux prendre l'avion avec nous après tout.

1 *Decide which of these statements about the opening sketch are true, and which are false.*

a) La femme est à la poste.
b) Ça fait deux francs pour poster le colis en Angleterre.
c) La femme demande deux timbres à cinq francs.
d) On pèse le colis sur la balance.
e) Il y a un vrai accordéon français dans le colis.
f) L'employé remplit le formulaire pour la douane.
g) Les colis arrivent plus vite par avion.
h) Le colis pèse quarante kilos.
i) Le colis est finalement envoyé par la poste.
j) On trouve que l'avion de Charles est dans le colis.

2 *From each bracket choose the phrase which makes most sense.*

MME NICOT Je voudrais trois timbres à { deux centimes, / deux francs, / deux cents francs, } s'il vous plaît.

L'EMPLOYÉ Voilà, Madame. Ça fait six francs.

MME NICOT Et donnez-moi { un franc / un formulaire / un timbre } pour envoyer une lettre en Suède.

L'EMPLOYÉ Un franc soixante. Voilà.

MME NICOT Je voudrais aussi envoyer { la balance / ce paquet / ce formulaire } en Algérie.

L'EMPLOYÉ Certainement. Voulez-vous remplir { ce formulaire? / cette enveloppe? / ce colis? } Merci.

Mettez-le { sur cette carte postale. / dans ma poche. / sur la balance. } Ça fait vingt-cinq francs.

MME NICOT Il { parlera / arrivera / s'échappera } quand?

L'EMPLOYÉ Dans quatre ou cinq { jours. / minutes. / ans. }

MME NICOT Et je voudrais { envoyer / manger / peser } ce télégramme.

L'EMPLOYÉ Oui. Quinze mots. . . . Trente francs. Ça fait un total de { quarante-deux francs soixante. / cinquante-deux francs soixante. / soixante-deux francs soixante. }

3 *Make sure you know how to ask for things in a post office.*

a) Ask for eight two franc stamps.
Je voudrais __________ __________ à __________ __________ .

b) Ask for ten three franc stamps.
__________ __________ dix __________ __________ __________ __________ .

c) Ask how much it is to send a letter to England.
C'est __________ pour __________ __________ lettre __________ l'__________ ?

d) Ask how much it is to send a postcard to Germany.
__________ __________ __________ __________ __________ __________
__________ pour l'Allemagne?

e) Say you would like to send a parcel to Ireland.
Je __________ __________ ce colis __________ Irlande.

f) Say you would like to send a letter to the United States, air mail.
Je __________ __________ __________ __________ aux États-Unis,
__________ avion.

g) Ask when the letter will arrive.
Elle __________ __________ ?

4 *Put this dialogue into French. There are extra phrases to help you.*

JEAN	How much will it cost to send this parcel to England?
L'EMPLOYÉE	By air mail?
JEAN	Yes, by air mail.
L'EMPLOYÉE	What's in it?
JEAN	Some photos.
L'EMPLOYÉE	Could you fill in this form for the customs?
JEAN	Certainly . . .
L'EMPLOYÉE	Put it on the scales. . . . It weighs a hundred and fifty grams. That's thirty-five francs.
JEAN	When will it arrive?
L'EMPLOYÉE	In two or three weeks.
JEAN	Thank you. And I'd like to send this letter to Italy.
L'EMPLOYÉE	One franc sixty.
JEAN	And give me ten two franc stamps.
L'EMPLOYÉE	There you are. That comes to fifty-six francs sixty.

ce colis
cette lettre
des photos
en Italie

cent cinquante grammes (150g)
un franc soixante (1, 60F)
cinquante-six francs soixante (56, 60F)

5 *Hélène Figili, a famous authoress living in Switzerland, is at the post office sending off Christmas letters and presents (copies of her latest book) to friends all over the world. She has missed the last posting date for letters going outside Europe and sends a few telegrams instead.*

Make up a conversation based on the above. Here are some extra phrases:

Je voudrais envoyer ce paquet en France.
en Australie.
en Espagne.
en Hollande.
en Grande-Bretagne.
au Canada.
au Japon.
aux États-Unis.

Avez-vous des étiquettes 'par avion'?	Have you any air mail stickers?
À quelle heure est la prochaine levée?	What time is the next collection?
Ça part au tarif imprimés	It goes at printed papers rate
mon nouveau livre	my new book
un télégramme	a telegram
un cadeau de Noël	a Christmas present
joyeux Noël!	merry Christmas!

6 *Lucien works in an antique shop. Today his employer has sent him to the post office with a list of things to do. Make up a conversation between Lucien and the post office clerk.*

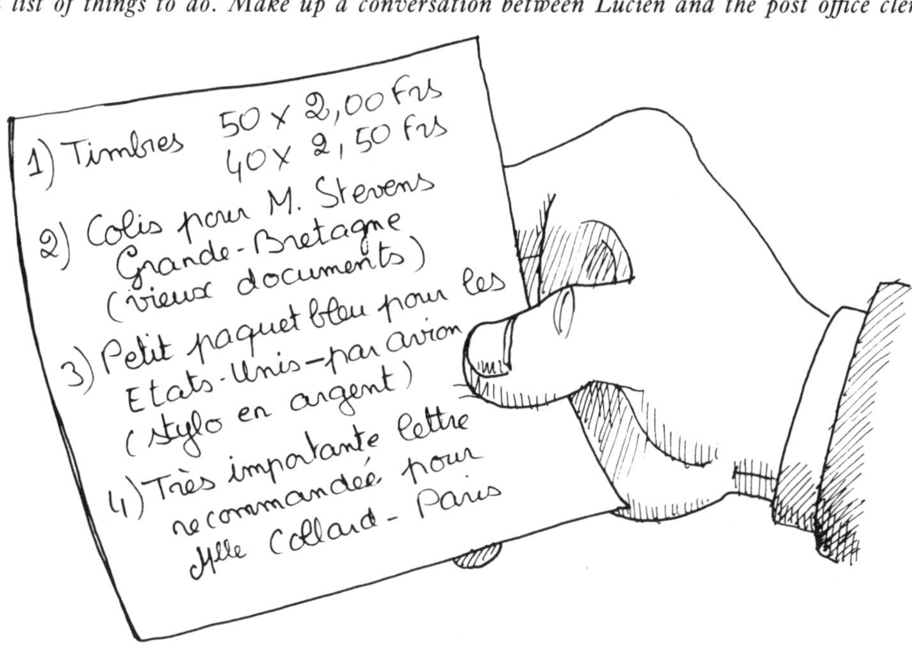

10 Quel train prendre?

A situational playlet set at a railway station

Une gare de campagne. Mademoiselle Chinon veut faire une excursion. Le train part dans deux minutes mais elle ne trouve pas d'employé au guichet. Enfin il arrive et laisse sa mobylette devant le guichet.

MLLE CHINON Un billet de seconde pour Nîmes, s'il vous plaît.
L'EMPLOYÉ Un aller simple?
MLLE CHINON Non, un aller-retour. Dépêchez-vous, s'il vous plaît.
L'EMPLOYÉ Mais regardez l'heure! Vous avez raté le train.
MLLE CHINON Mince! À quelle heure est le prochain?
L'EMPLOYÉ Il part à dix heures vingt, Mademoiselle, demain matin.
MLLE CHINON Zut! Y a-t-il un train pour Marseille?
L'EMPLOYÉ Oui, le T.G.V.* Paris-Marseille. Réservations obligatoires. . . .
MLLE CHINON Eh bien, je voudrais réserver une place.
L'EMPLOYÉ Mais il ne s'arrête pas dans cette gare. [il rit] Il y a un train pour Avignon dans cinq minutes. Ça vous intéresse?
MLLE CHINON Ça dépend. À quelle heure arrive-t-il à Avignon?
L'EMPLOYÉ À treize heures dix. Il faut changer à Arles.

MLLE CHINON Ça coûte combien?
L'EMPLOYÉ Cent cinquante francs, aller-retour.
MLLE CHINON Super! [*Elle cherche son argent*] C'est quel quai?
L'EMPLOYÉ Quai deux. [*L'employé reçoit un coup de téléphone. Il rit.*] Quelle malchance, Mademoiselle. Votre train a deux heures de retard.
MLLE CHINON Comment? Mais je vais à Avignon quand même.
L'EMPLOYÉ C'est à cinquante kilomètres. Vous y allez à pied?
MLLE CHINON Non, à mobylette!
Elle saute sur la mobylette de l'employé, démarre, et part à toute vitesse.

* *T.G.V. (pronounced 'tay-jay-vay') Train-Grande-Vitesse. A very fast non-stop express.*

1

By picking out key phrases from the opening sketch, and altering some details, give the French versions of:

a) a second class to Dijon
b) a single
c) a return
d) You've missed the train.
e) What time is the next one?
f) at nine ten
g) Is there a train to Colmar?
h) I'd like to reserve a seat.
i) There's a train for Épinal in twenty minutes.
j) When does it arrive in Épinal?
k) fourteen ten
l) You have to change at Langres.
m) How much is it?
n) a hundred and forty francs return
o) Which platform is it?
p) platform two
q) Your train is twenty minutes late.

2

This chart shows you how to ask for a train ticket.

Un billet de seconde Deux billets de seconde Un billet de première Deux billets de première	pour Toulouse, pour Genève, pour Poitiers, pour Roubaix,	aller simple. aller-retour.

Now ask for tickets based on the following diagrams.

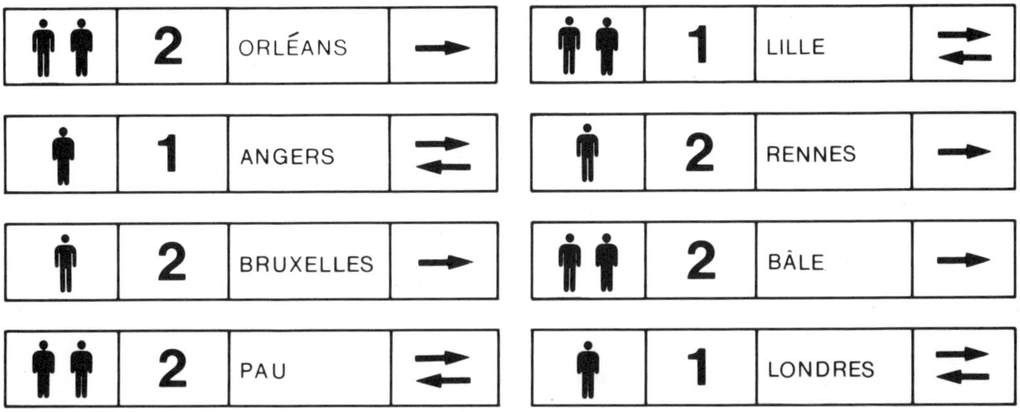

	2	ORLÉANS	
	1	ANGERS	
	2	BRUXELLES	
	2	PAU	
	1	LILLE	
	2	RENNES	
	2	BÂLE	
	1	LONDRES	

3 *Work out exactly what was said in this conversation. Use the 24 hour clock.*

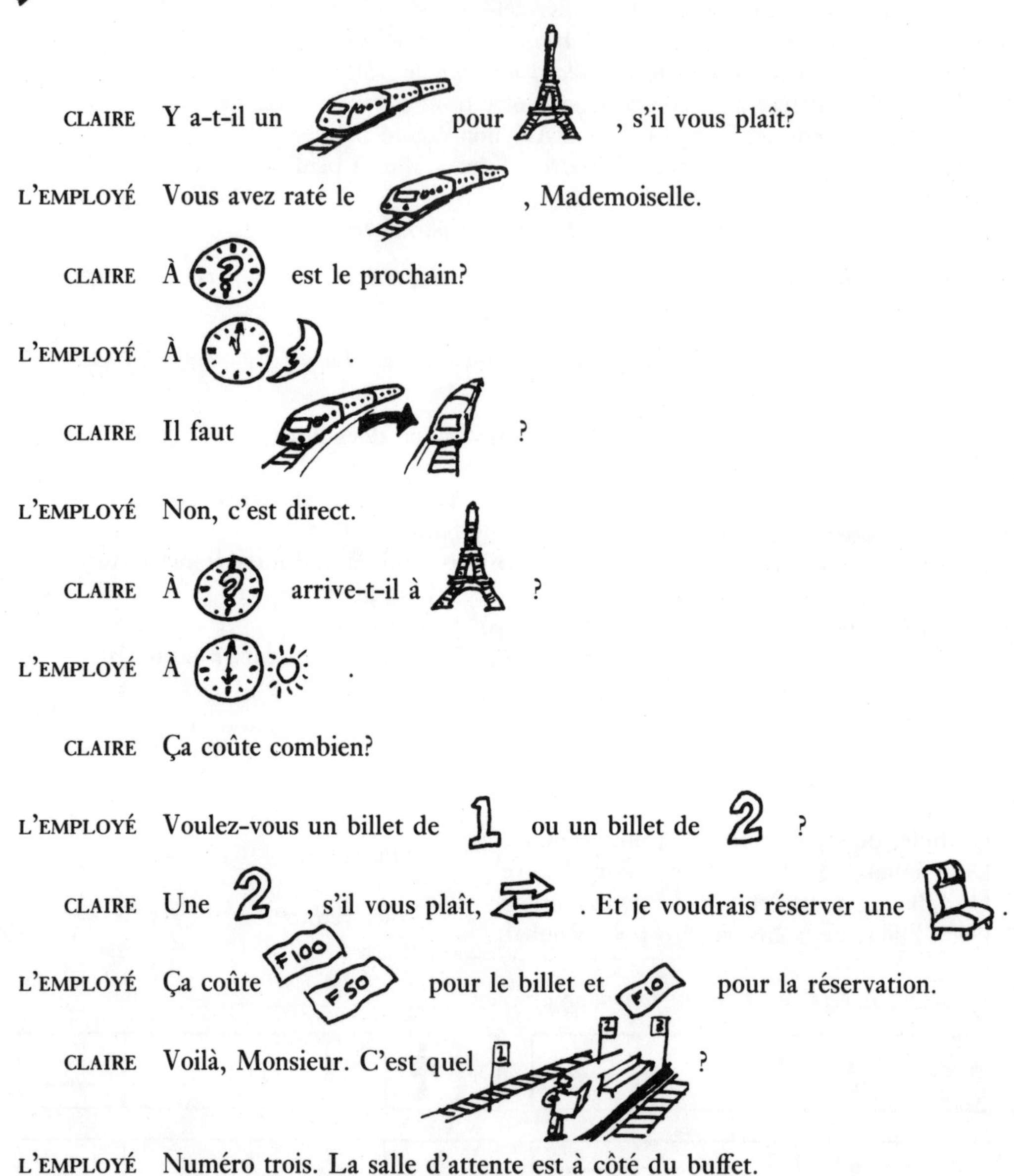

CLAIRE Y a-t-il un pour , s'il vous plaît?

L'EMPLOYÉ Vous avez raté le , Mademoiselle.

CLAIRE À est le prochain?

L'EMPLOYÉ À .

CLAIRE Il faut ?

L'EMPLOYÉ Non, c'est direct.

CLAIRE À arrive-t-il à ?

L'EMPLOYÉ À .

CLAIRE Ça coûte combien?

L'EMPLOYÉ Voulez-vous un billet de ou un billet de ?

CLAIRE Une , s'il vous plaît, . Et je voudrais réserver une .

L'EMPLOYÉ Ça coûte pour le billet et pour la réservation.

CLAIRE Voilà, Monsieur. C'est quel ?

L'EMPLOYÉ Numéro trois. La salle d'attente est à côté du buffet.

4 *The words in the column on the left are commonly seen in French railway station signs. Their English equivalents are on the right, but in a jumbled order. Test your knowledge or guesswork by matching them up.*

entrée	to the platforms
salle d'attente	information office
buffet	way out
consigne	station master
guichet	waiting room
renseignements	indicator board
bureau de change	underground passage-way
objets trouvés	ticket office
chef de gare	trolleys
porteur	motorail
indicateur	way in
horaires	refreshment room
chariots	money-changing office
trains auto-couchettes	lost property
aux quais	left-luggage office
passage souterrain	timetable
sortie	porter

5 *Make up sketches based on the following outlines and extra vocabulary.*

a) *A French station late at night. The passengers need information but the only employee on duty is the one operating the station tannoy. The perplexed passengers shout up their questions, which the over-worked employee answers over the tannoy, in between announcements of arrivals and departures.*

Les horaires sont à côté du guichet.	The timetables are next to the ticket office.
C'est le dernier train pour ce soir.	It's the last train tonight.
Attention! Le train entre en gare.	Your attention, please. The train is entering the station.
Attention au départ!	The train is about to depart.
Fermez les portières!	Please close the doors.
La S.N.C.F. a le regret de vous annoncer que le train pour Metz a vingt minutes de retard.	The S.N.C.F. regrets to announce that the train for Metz will be twenty minutes late.

b) *It has come to the attention of the railway authorities in Paris that the station in the sleepy village of Saint-Robin-les-Ronfleurs is very inefficient. The Inspector of Railways has arrived to find out how bad things are. He poses as an ordinary passenger at the ticket counter.*

L'Inspecteur des Chemins de Fer	the Inspector of Railways
Je n'ai pas de billets.	I haven't any tickets.
Où est la salle d'attente?	Where is the waiting room?
Le buffet est fermé.	The buffet is closed.
L'indicateur est en panne.	The indicator board is out of action.
trop de questions	too many questions
C'est un scandale!	It's a scandal!
Vous déshonorez la S.N.C.F.	You are a disgrace to the S.N.C.F.

11 À votre service!

A situational playlet set at a petrol station

Marie-Claude est pompiste dans une station-service. Une grande voiture de luxe arrive. Le conducteur, impatient, klaxonne.

MARIE-CLAUDE D'accord. J'arrive!

LE CONDUCTEUR Faites le plein, Mademoiselle.

MARIE-CLAUDE Ordinaire ou super?

LE CONDUCTEUR Pour mon Météore Super-Luxe dernier modèle? Donnez-moi du super, c'est évident!

MARIE-CLAUDE Bien sûr, Monsieur . . . Voilà.

LE CONDUCTEUR Voulez-vous vérifier l'huile, s'il vous plaît, et l'eau aussi. Regardez! Le capot se soulève automatiquement. Quelle voiture, hein? Jamais besoin de sortir.

MARIE-CLAUDE Pas de problème pour l'eau. Mais vous avez besoin d'huile.

LE CONDUCTEUR Mettez de l'huile alors. Et voulez-vous vérifier la batterie et la pression des pneus.

MARIE-CLAUDE Je nettoie le pare-brise aussi?

LE CONDUCTEUR Pas nécessaire. Je vais au lavage automatique après. Qu'est-ce que vous vendez ici à part de l'essence et de l'huile?

MARIE-CLAUDE Des cartes de la région, des guides, des bonbons, des boissons, et des pièces de rechange pour voitures.

LE CONDUCTEUR Très bien. Pouvez-vous m'apporter une tablette de chocolat, s'il vous plaît.

MARIE-CLAUDE Le magasin est là-bas, Monsieur. Vous pouvez y aller vous-même.

LE CONDUCTEUR Non, tant pis! Ça ne fait rien.

MARIE-CLAUDE C'est fini, Monsieur. J'ai tout vérifié.

LE CONDUCTEUR Ah bon. Vous l'aimez, ma voiture?

MARIE-CLAUDE Je préfère ma bicyclette. Deux cents litres de super et dix bidons d'huile, ça fait huit cents francs.

LE CONDUCTEUR Voilà, Mademoiselle. Et voilà cinq francs pour vous.

MARIE-CLAUDE Merci, Monsieur. Je les donnerai aux Amis de la Terre.

1 *Look again at the sketch and pick out the French for the following:*

a) Fill the tank.
b) Two star or four star?
c) Would you check the oil, please.
d) Would you check the battery.
e) the water
f) the tyre pressure
g) You need some oil.
h) Put some oil in.
i) Do you want me to clean the windscreen?
j) I've checked everything.
k) a hundred litres of four star
l) ten cans of oil

2 *Fill in the gaps using items of vocabulary from the opening sketch.*

a) Vous avez besoin d'essence? Allez à la s______-s______ .
b) Le l_____ a__________ nettoie votre voiture.
c) Une p_______ travaille dans une station-service.
d) Il y a deux sortes d'e______ : l'ordinaire et le super.
e) Nicole veut réparer sa mobylette mais elle a besoin de p_____ de r_______ .
f) Beaucoup de stations-service ont un m______ où on peut acheter beaucoup de choses.
g) Le touriste ne connaît pas la région. Il achète des c_____ .
h) Il y a un choix de b_______ : orangina, limonade et coca.
i) Le c_________ de la voiture de luxe klaxonne.
j) Le moteur de la voiture se trouve sous le c____ .

3 *Which of the following statements about the sketch are true, and which are false?*

a) Marie-Claude met deux cents litres de super dans la voiture.
b) Elle vérifie l'huile, l'eau, la batterie et la pression des pneus.
c) La voiture a besoin d'eau.
d) Marie-Claude met de l'huile dans la batterie.
e) Elle ne nettoie pas le pare-brise.
f) Le conducteur se lave automatiquement.
g) Il va au magasin pour acheter du chocolat.
h) Il boit dix bidons d'huile.
i) Marie-Claude reçoit un pourboire de cinq francs.

4 *Fill in the gaps using the words below.*

MME SOREL Donnez-moi vingt __________ d'ordinaire, s'il vous plaît.
LE POMPISTE Voilà, Madame. Autre chose?
MME SOREL Oui, je pense que le __________ est trop chaud. Voulez-vous __________ l'eau, s'il vous plaît?
LE POMPISTE . . . Oui, vous avez __________ d'eau. Le radiateur est presque vide.
MME SOREL Vraiment? Voulez-vous mettre de l'eau. Et je voudrais aussi deux __________ d'huile, s'il vous plaît. Est-ce que vous __________ des phares antibrouillard ici?
LE POMPISTE Bien sûr, dans le __________ là-bas.
MME SOREL Merci. Ça fait combien en tout?
LE POMPISTE Ça fait quatre-vingts francs pour l'__________ , trente francs pour les bidons d'__________ et cinq francs pour l'eau. Cent quinze francs en tout.

vérifier	magasin	moteur
vendez	litres	besoin
bidons	huile	essence

5 *You have driven into a 'station-service'. Can you ask for the services you need?*

[*Ask the attendant to fill the tank with two star*]
LE POMPISTE Voilà. Autre chose?
[*Ask him to check the oil and the tyre pressures*]
LE POMPISTE Pas de problème pour la pression des pneus, mais vous avez besoin d'huile.
[*Ask him to put some oil in*]
LE POMPISTE Voilà. Deux bidons d'huile.
[*Ask if they sell spare parts*]
LE POMPISTE Bien sûr, dans le magasin là-bas, à côté du lavage automatique.
[*Ask if they also sell maps of the area*]
LE POMPISTE Oui, et des guides aussi.
[*Ask how much you owe him*]
LE POMPISTE Cent vingt francs pour l'essence. . . .
[*Ask how many litres it was*]
LE POMPISTE Vingt-huit litres. Et deux bidons d'huile; ça fait cent-soixante francs en tout.
[*Give him a tip and thank him*]
LE POMPISTE Merci, et bonne route.

6 *Make up your own petrol station sketch. The picture and phrases below may give you some ideas.*

Pour cent francs de super	A hundred francs' worth of four star
Attendez deux minutes	Can you wait a few minutes
Coupez le contact	Switch off the ignition
Le moteur fait un bruit étrange	The engine's making a strange noise
Les freins ne marchent pas	The brakes aren't working
Ma voiture / Ma moto / Mon scooter / Mon camion} est en panne	My car / My motorbike / My scooter / My lorry} has broken down
Pouvez-vous le réparer?	Can you repair it?

le clignotant {avant gauche / arrière droite}	the {front left / back right} indicator
le feu rouge / les feux rouges	rear light / rear lights
le phare / les phares	headlight / headlights
le rétroviseur	mirror
la roue	wheel
la portière	(car) door
le tuyau d'échappement	exhaust pipe
le frein	brake
l'essuie-glace	windscreen wiper
le réservoir	petrol tank
la clef	key
le mécanicien	mechanic
le graissage	greasing

12 Des remèdes intéressants

A situational playlet based at the chemist's

Madame Massue, pharmacienne, s'occupe d'un client.

LE CLIENT Bonjour, Madame. Voici mon ordonnance.

MME MASSUE C'est pour vous?

LE CLIENT Oui. J'ai mal au ventre. Pensez-vous que ça va me guérir?

MME MASSUE Peut-être, mais essayez aussi notre Lotion Massue. Efficace contre toutes les maladies. Frottez-vous le ventre avec.

[*Il se frotte le ventre immédiatement. Une odeur affreuse se répand*]

LE CLIENT Ah! Je me sens faible.

MME MASSUE Vous avez mal au ventre? Avez-vous d'autres symptômes?

LE CLIENT Oui, quand j'y pense. Je n'ai pas d'appétit après les repas . . . Et j'ai de la température, et j'ai mal au pied gauche.

MME MASSUE Je vais regarder ça . . . Ah! Je pense que c'est la . . . la pédiparadermaduplitite!

LE CLIENT Quoi? Est-ce grave? Il faut aller chez le médecin?

MME MASSUE Hé! N'approchez pas de moi! Il y a un seul remède: le sirop Massue.

[*Elle lui donne une bouteille de sirop. Il le boit rapidement*]

LE CLIENT Ah! C'est affreux! Je me suis brûlé la gorge!

MME MASSUE Prenez-en une cuillerée trois fois par jour après les repas. Voyons . . . Ça fait cent francs en tout, Monsieur.

[*Plus mort que vif, il paie, prend ses médicaments et quitte la pharmacie*]

LE CLIENT Je vous remercie infiniment, Madame.

1

Look at the sketch again and pick out the French for the sentences and phrases below.

The customer said:

a) Here's my prescription.
b) I've a stomach ache.
c) Do you think that'll cure me?
d) I feel weak.
e) I have no appetite.
f) I've got a temperature.
g) My left foot hurts.
h) Is it serious?
i) Should I go and see the doctor?
j) I've burnt my throat.

The pharmacienne said:

k) Is it for you?
l) Effective against all illnesses.
m) Rub it onto your stomach.
n) Have you any other symptoms?
o) I'll have a look at it.
p) There's only one remedy.
q) Take a tablespoonful.
r) three times a day after meals

2

Decide which response, a, b or c, the chemist is most likely to make.

1 Voici une ordonnance pour mon frère.
a) Ah oui. Asseyez-vous quelques minutes.
b) C'est pour vous?
c) Pensez-vous que ça va me guérir?

2 J'ai mal à la main gauche.
a) Il faut aller chez l'opticien.
b) Je préfère la main droite.
c) Je vais regarder ça.

3 Il faut aller chez le médecin?
a) Oui, trois fois par jour après les repas.
b) Non, ici c'est une pharmacie.
c) Je pense que oui; c'est assez grave.

4 Avez-vous quelque chose pour un coup de soleil?
a) Nous avons ces lunettes de soleil.
b) Cette crème est très bonne.
c) Prenez ces pilules après les repas.

5 J'ai de la température.
a) Il faut éviter le soleil.
b) Il faut aller chez le médecin.
c) Il fait 7 degrés aujourd'hui.

6 Pensez-vous que ça va me guérir?
a) Oui, c'est très efficace.
b) Oui, c'est très grave.
c) Notre crème ne sert à rien.

3

Fill in the gaps using words from the list below.

a) Puis-je vous donner ces __________ pour ma famille?
b) J'ai __________ au genou.
c) Pensez-vous que ce médicament va me __________ ?
d) Je me __________ malade.
e) 38 degrés! J'ai de la __________ .
f) Le réchaud à gaz est défectueux. Je me suis __________ la main.
g) J'ai mal aux dents. Est-ce qu'il y a un __________ au village?
h) Pas de gâteau pour moi. Je n'ai pas d'__________ .
i) Pensez-vous, Docteur, que ma maladie est __________ ?

sens / dentiste / température / brûlé / mal / appétit / ordonnances / guérir / grave

4 *Here are some further things which might be wrong with you. Work out (or guess) which line belongs to which picture.*

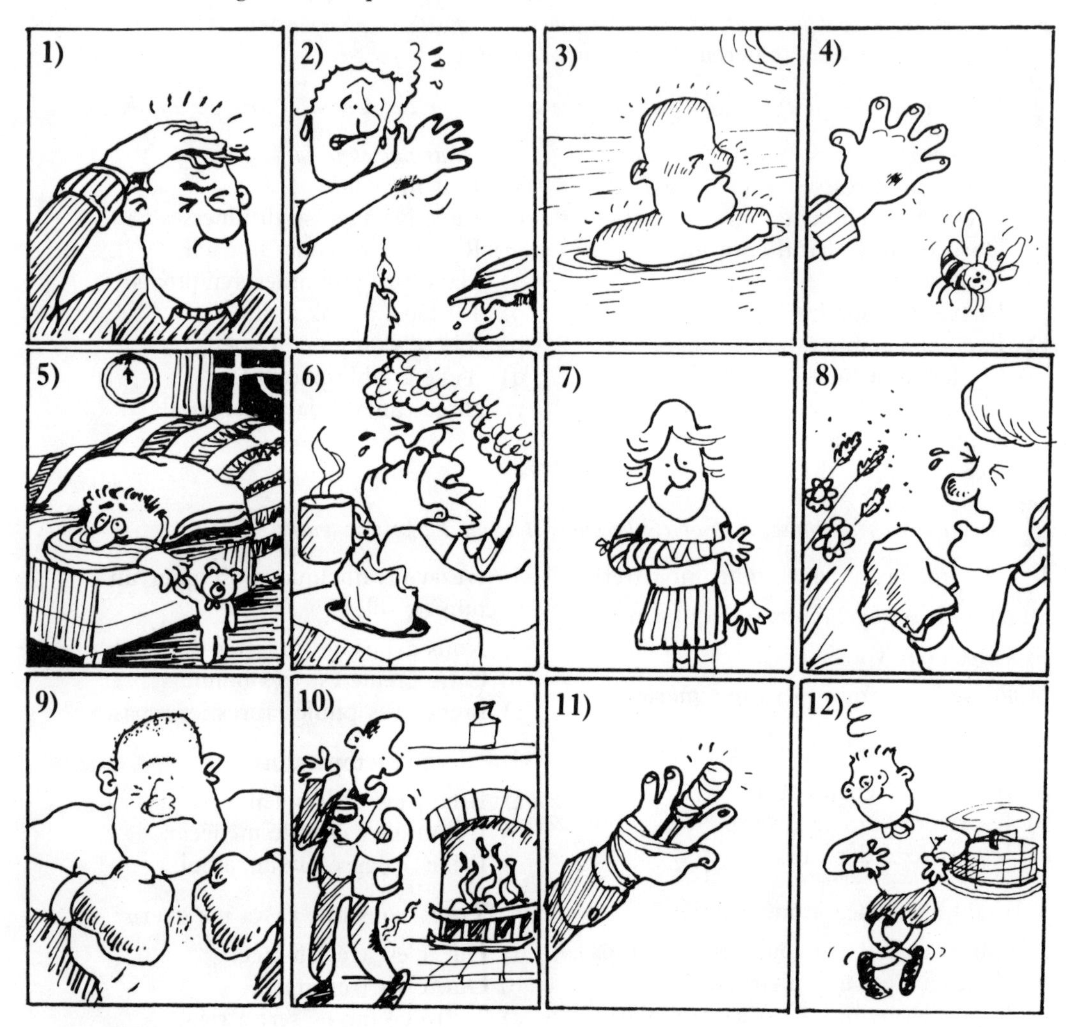

a) J'ai mal au bras.
b) J'ai mal à la tête.
c) Je me suis brûlé la jambe.
d) Je me suis brûlé le poignet.
e) Je me suis cassé le nez.
f) Je me suis cassé un doigt.
g) Je me suis fait piquer par une guêpe.
h) J'ai attrapé un coup de soleil.
i) J'ai attrapé un rhume.
j) J'ai le rhume des foins.
k) J'ai des vertiges.
l) Je ne peux pas dormir.

5 *Make up sketches of your own. The picture and phrases below may give you some ideas.*

Madame Gémala est hypocondriaque: elle pense qu'elle a toutes sortes de maladies.

une boîte d'aspirine	a bottle of aspirins
un rouleau de sparadrap	a roll of sticking plaster
des pastilles pour la gorge	throat pastilles
du coton hydrophile	cotton wool
de la crème antiseptique	antiseptic cream
délivré sur ordonnance	on prescription
des cachets	pills
des sédatifs	sleeping tablets
un pansement	a bandage / dressing

Avez-vous quelque chose pour { **une indigestion? / une cheville tordue? / la grippe? / la diarrhée? / la constipation? / les piqûres d'insectes?**	Have you something for { indigestion? / a twisted ankle? / the 'flu? / diarrhoea? / constipation? / insect bites?
Je ne peux pas { **dormir / manger / marcher / parler**	I can't { sleep / eat / walk / talk
Il faut { **rester au lit / appeler une ambulance / aller à l'hôpital / aller chez le médecin / aller chez le dentiste / boire beaucoup d'eau**	You must { stay in bed / call an ambulance / go to hospital / go to the doctor's / go to the dentist's / drink lots of water
Je voudrais une feuille de maladie	I'd like a receipt for the insurance

13 Un détour pittoresque

A situational playlet based on the giving and understanding of directions

Deux vieilles dames sont assises au bord d'un chemin à la campagne. Un coureur-cycliste arrive.

LE CYCLISTE	Oh là là, je me suis perdu. La route nationale, c'est par où, s'il vous plaît?
MME FOURCHE	Continuez tout droit, jeune homme. Prenez la première rue à droite....
MME BÊCHE	Non, non. C'est la deuxième rue à gauche. Sur votre droite vous verrez une tour du 16ème siècle qui est très jolie d'ailleurs.
LE CYCLISTE	Le seul tour qui m'intéresse, c'est le Tour des Ardennes. Et dans deux heures, à moi la victoire et les cent mille francs. Alors, la deuxième rue à gauche, et puis?
MME FOURCHE	Prenez le sentier le long de la rivière jusqu'au moulin. Traversez le pont et passez par dessus la barrière.
LE CYCLISTE	Quoi? C'est une plaisanterie?
MME BÊCHE	C'est un chemin très pittoresque.
LE CYCLISTE	Vous commencez à m'énerver, Madame. Dites-moi, est-ce loin, la route nationale?
MME FOURCHE	À dix kilomètres environ.
MME BÊCHE	Mais non, Madame Fourche. À vingt kilomètres.
LE CYCLISTE	Ça suffit! Écoutez, y a-t-il une gare près d'ici?

MME FOURCHE	Prenez la troisième rue à gauche et la gare est juste en face.
LE CYCLISTE	Est-ce qu'il y a un train qui va à Liège?
MME BÊCHE	Certainement. Mais il part dans trois minutes. Quai deux.
LE CYCLISTE	Merci, Mesdames. Et pas d'autographes – je suis trop pressé. [*il pédale vers la gare*] Je vais être riche! Riche!
MME FOURCHE	Quai deux? C'est le rapide qui va à Arlon, dans la direction opposée.
MME BÊCHE	Mais c'est très pittoresque par là aussi.

1 *Put this conversation into French. The phrases you need are all to be found somewhere in the opening sketch, although you will need to exchange references to places.*

THOMAS	I'm lost, Madame. Could you tell me the way to the 16th Century tower, please?
MME LENOIR	Take the third street on the left. Go straight ahead. Take the second street on the left and cross the bridge. Take the path by the river as far as the mill.
THOMAS	Is it far to the tower?
MME LENOIR	About ten kilometres.
THOMAS	Is there a bus (un bus) which goes to the tower?
MME LENOIR	Certainly. It leaves in five minutes.
THOMAS	Is there a stop (un arrêt) near here?
MME LENOIR	Yes. Take the first street on the right. On your left you'll see the bridge. The stop is just opposite.
THOMAS	Thank you, Madame.

2 *Find the phrases in the sketch which are represented by these drawings.*

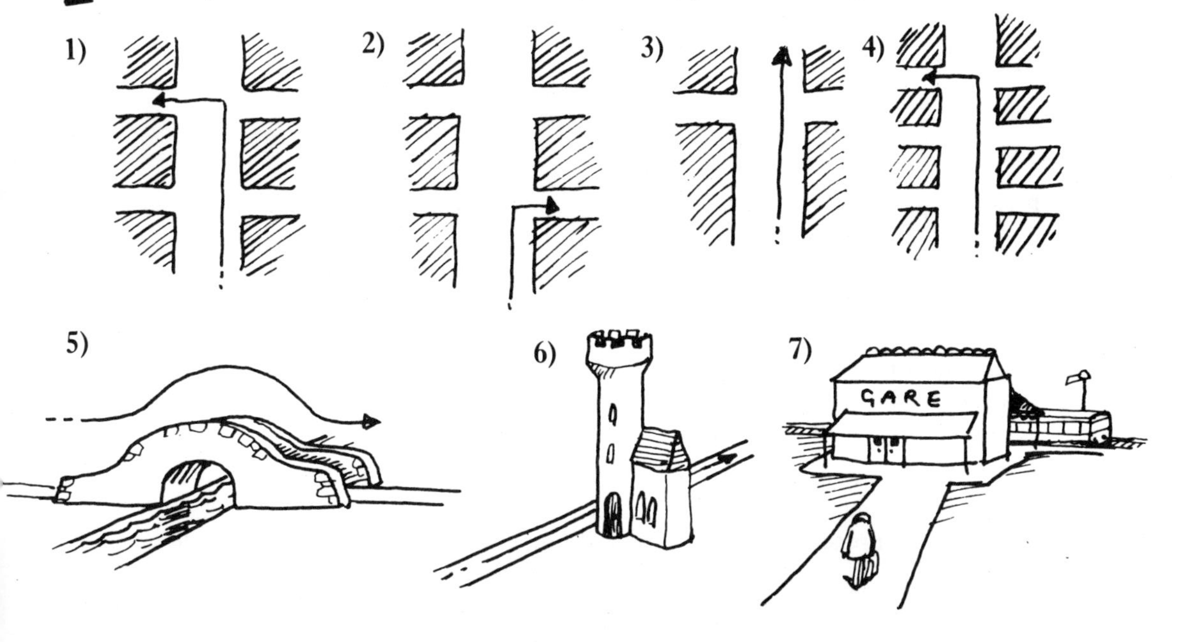

3 *Find out where in Montvillers you would end up if you followed the sets of directions below. Two new words occur: allez (go), and tournez (turn).*

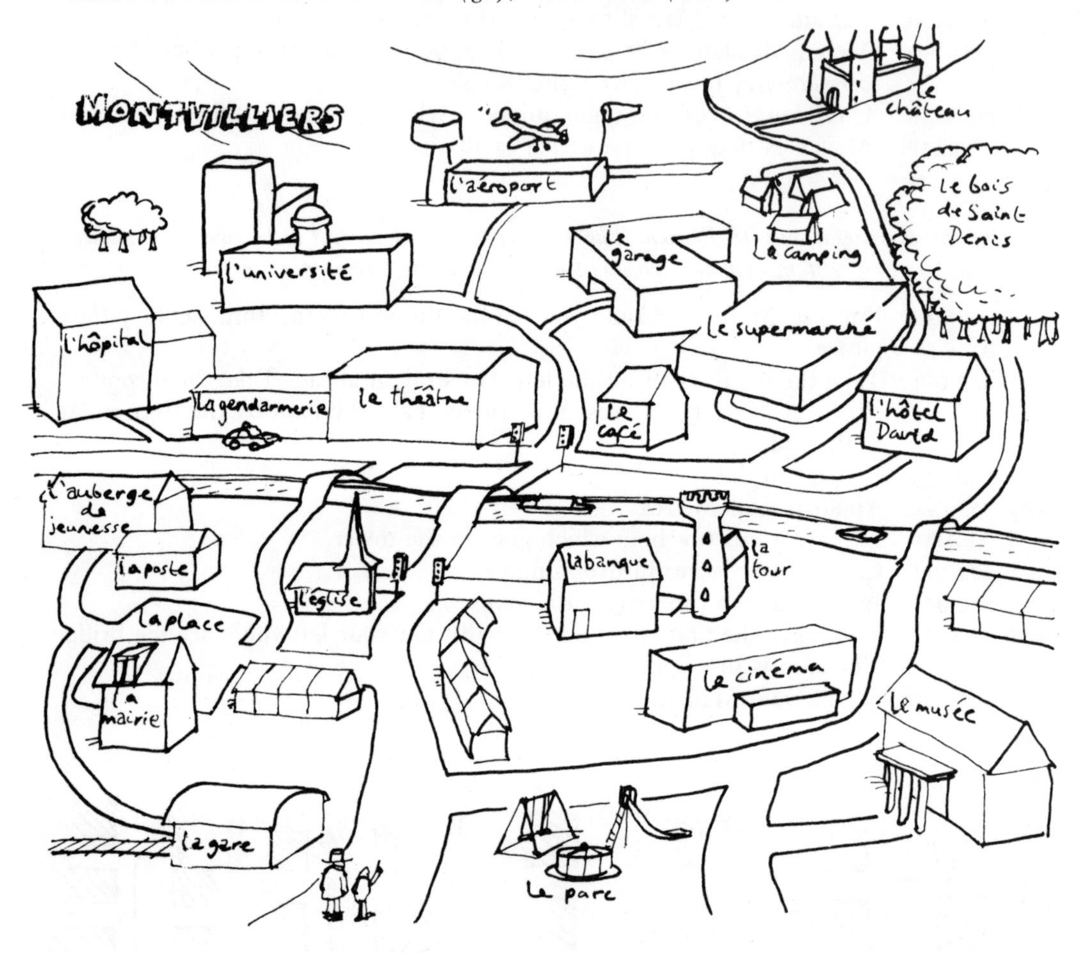

a) Prenez la première rue à droite. Sur votre gauche vous verrez le cinéma. Prenez la première rue à droite et la première à gauche. Le _____ est juste en face.

b) Prenez la première rue à gauche et traversez la place. Allez à gauche et la ____ est juste en face.

c) Allez tout droit et traversez le pont. Continuez jusqu'au café et tournez à droite. Vous verrez un hôtel juste en face. Tournez à gauche, allez tout droit, prenez la deuxième rue à gauche et le _______ est sur votre gauche.

d) Prenez la première rue à gauche et la première à droite. Traversez le pont et continuez jusqu'au théâtre. Tournez à gauche et sur votre droite vous verrez la gendarmerie. Prenez la première rue à droite et l'_______ est juste en face.

4 *Complete these conversations by using the information on the route maps.*

a)

L'HOMME La poste, c'est par où, s'il vous plaît?
LA DAME ....
....
....
L'HOMME Est-ce loin, Madame?
LA DAME ....
L'HOMME Merci, Madame.

b)

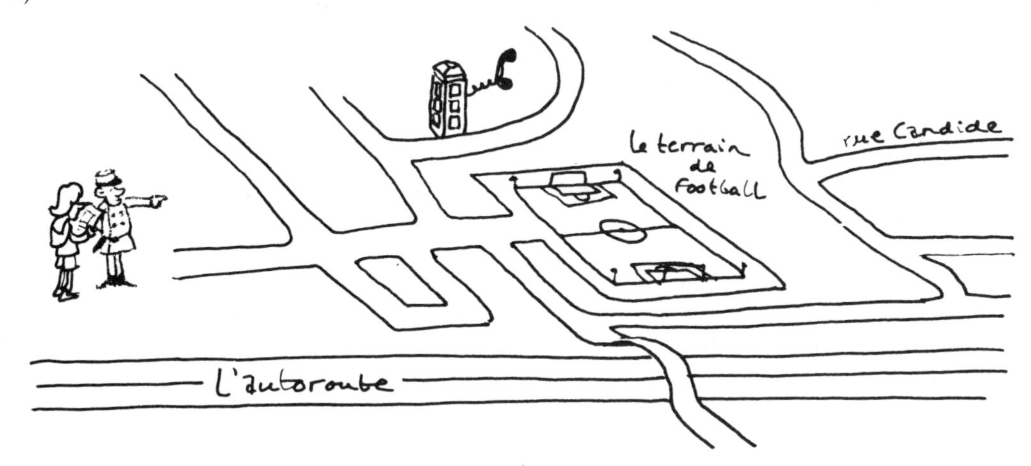

LA TOURISTE Pardon, Monsieur. La rue Candide, c'est par où s'il vous plaît?
L'AGENT ....
....
LA TOURISTE J'appelle un taxi. Y a-t-il une cabine téléphonique près d'ici?
L'AGENT ....
LA TOURISTE Merci, Monsieur.

c)

CLAUDE	Pardon, Monsieur. Y a-t-il .... ?
MONSIEUR DOUX	Au château? Oui, c'est le bus numéro dix.
CLAUDE	Y a-t-il un arrêt .... ?
MONSIEUR DOUX	Ce n'est pas loin. Continuez ....
CLAUDE	Merci beaucoup, Monsieur.
MONSIEUR DOUX	Je vous en prie.

5 *Now make up a sketch of your own in which directions are asked for and given. Use the plan of Montvillers in Exercise 3. Here are a few extra phrases.*

Je ne connais pas cette ville non plus	I don't know this town either
Quelle est cette rue?	What street is this?
C'est la rue Rimbaud	It's rue Rimbaud
C'est bien la route pour l'aéroport?	Is this the way to the airport?
au coin de la rue	at the corner
au carrefour	at the crossroads
aux feux	at the traffic lights
en face {du garage / de la mairie}	opposite {the garage / the town hall}

14 Histoire d'oeufs

A situational playlet set in a grocer's

Madame Lésine et son fils, Philippe, entrent dans l'épicerie du village.

L'ÉPICIER Bonjour, Madame Lésine. Bonjour, Philippe. Qu'est-ce que je peux faire pour vous?

MME LÉSINE Il me faut un litre de lait, et puis . . .

PHILIPPE Une bouteille de vinaigre, Maman.

MME LÉSINE Oui, c'est ça.

L'ÉPICIER Voilà. Et avec ça?

MME LÉSINE Je voudrais une douzaine d'oeufs.

PHILIPPE Ah non, alors! Encore de l'omelette pour le déjeuner! On a toujours de l'omelette.

MME LÉSINE Tais-toi, Philippe. Les oeufs sont très bons pour toi.

L'ÉPICIER Je regrette, Madame, mais nous n'avons pas d'oeufs ce matin. Un renard a effrayé les poules.

PHILIPPE Bravo!

MME LÉSINE Mais qu'est-ce qu'on va manger?

L'ÉPICIER Nous avons des fromages, des saucissons, des légumes frais. Je recommande les aubergines.

PHILIPPE Elles coûtent combien les aubergines?
L'ÉPICIER Six francs pièce.
MME LÉSINE Ah non, c'est trop cher!
PHILIPPE J'en ai assez! C'est moi qui achète maintenant, et c'est moi qui fais la cuisine. J'ai trente ans après tout. Monsieur, donnez-moi trois aubergines. Et cinq cents grammes de jambon.
MME LÉSINE Ça suffit, Philippe! C'est tout, Monsieur!
L'ÉPICIER Ça fait soixante francs en tout. C'est Monsieur Philippe qui paie?
PHILIPPE Mais oui, avec plaisir. Et mes félicitations au renard.

1 *Look at the sketch again and find the French for the sentences and phrases below:*

The grocer said:
a) What can I do for you?
b) Anything else?
c) We haven't any eggs.
d) We have cheeses, sausages and fresh vegetables.
e) I recommend the aubergines.
f) Six francs each.
g) That comes to sixty francs altogether.

The customers said:
h) I need a litre of milk.
i) a bottle of vinegar
j) I'd like a dozen eggs.
k) How much are the aubergines?
l) It's too expensive.
m) Give me three aubergines.
n) five hundred grams of ham
o) That's all, Monsieur.

2 *Use this table to ask for the items listed on the opposite page.*

		moutarde
	300 grammes de	dentifrice
		mayonnaise
	une livre de*	pêches
Je voudrais		sel
	un kilo de	tomates
		nouilles
	un litre de	lait
		vin blanc
Donnez-moi	un demi-litre de	champignons
		riz
	une bouteille de	saumon
		vinaigre
	une boîte de	moules
Il me faut		désinfectant
	un paquet de	chocolat
		lait
	un pot de	jus d'ananas
		pommes
	un tube de	pâté de foie
		confiture
	une tablette de	lait concentré

* half a kilo, a pound

a) a bottle of lemonade
b) a packet of rice
c) a bottle of white wine
d) a bar of chocolate
e) half a litre of milk
f) a tube of toothpaste
g) a pound of tomatoes
h) a tin of salmon
i) a packet of salt
j) a jar of mustard
k) a tin of concentrated milk
l) 300 grams of liver pâté
m) half a litre of mussels
n) a kilo of apples
o) a tube of mayonnaise
p) a litre of pineapple juice
q) a bottle of vinegar
r) a jar of jam
s) a kilo of peaches
t) a litre of disinfectant
u) a pound of noodles
v) 300 grams of mushrooms

3

Monsieur Daudet is shopping; Mademoiselle Laroche is behind the counter. Rearrange their lines so that the whole conversation makes sense. Mademoiselle Laroche speaks first and last.

Mlle Laroche's lines (not in order)

1) Oui, huit francs le paquet. Et avec ça?
2) Dix-sept francs en tout, Monsieur.
3) Je regrette, nous n'avons plus de lait frais aujourd'hui.
4) Bonjour, Monsieur. Qu'est-ce que je peux faire pour vous?
5) Au revoir, Monsieur. Et n'oubliez pas vos pêches.
6) Elles sont très fraîches. Vous en voulez combien?

M. Daudet's lines (also not in order)

a) Vraiment? Dans ce cas avez-vous un paquet de lait en poudre?
b) Oui, il y a autre chose. Il me faut des pêches.
c) Bonjour, Mademoiselle. Je voudrais un litre de lait, s'il vous plaît.
d) Donnez-en moi une livre. Ça fait combien en tout?
e) Voilà, Mademoiselle. Au revoir.

4

Can you get by in a grocer's shop?

L'ÉPICIER Qu'est-ce que je peux faire pour vous?
[*Say you would like a kilo of apples and a pound of peaches*]
L'ÉPICIER Voilà. Et avec ça?
[*Ask if they have any olive oil*]
L'ÉPICIER Je regrette mais nous n'en avons pas.
[*You would like a packet of salt, 300 grams of mushrooms, and a bottle of red wine. Ask if they have any cheese*]
L'ÉPICIER Du fromage? Oui, beaucoup! Je recommande ce camembert.
[*Ask how much it is*]
L'ÉPICIER Ça fait 11 francs le camembert.
[*Say it's too expensive and ask what it all comes to*]
L'ÉPICIER 60 francs, s'il vous plaît.

5 *Now invent sketches of your own. You can use the following ideas and vocabulary.*

<table>
<tr><th>QUI?</th><th>OÙ?</th><th>QUOI?</th><th></th></tr>
<tr><td rowspan="5">un / une touriste

la mère / le père d'une grande famille

un / une étudiant(e) pauvre

un maître d'hôtel

un / une végétarien (ienne)

l'inspecteur(trice) de l'alimentation</td><td>au magasin de légumes</td><td>des carottes
des oignons
des abricots
des oranges
un melon
une laitue</td><td>carrots
onions
apricots
oranges
a melon
a lettuce</td></tr>
<tr><td>à la boucherie-charcuterie</td><td>du porc
du bœuf
du mouton
du jambon
des saucisses
des saucissons</td><td>pork
beef
mutton
ham
uncooked sausages
cooked sausages</td></tr>
<tr><td>à la poissonerie</td><td>une truite
du hareng
une anguille
des moules
du homard</td><td>trout
herring
eel
mussels
lobster</td></tr>
<tr><td>à la boulangerie</td><td>une baguette
une ficelle
une couronne
un pain complet
un petit pain</td><td>a long loaf
a thinner long loaf
a ring-shaped loaf
a wholemeal loaf
a bun</td></tr>
<tr><td>à la quincaillerie</td><td>un ouvre-bouteille
une pelote de ficelle
une prise
une bouteille de gaz</td><td>a bottle opener
a ball of string
a plug
a cylinder of gas</td></tr>
</table>

15 Les tricornes sont à la mode

A situational playlet based on buying clothes in a shop

À Sépachère, un grand magasin, un petit homme en uniforme militaire s'approche du rayon des chapeaux. Il parle d'un ton impérial et avec un accent corse.

LA VENDEUSE Bonjour, Monsieur. Vous désirez?

LE CLIENT Je voudrais acheter un chapeau.

LA VENDEUSE Bien sûr, Monsieur. Quelle sorte de chapeau?

LE CLIENT Est-ce que vous avez des bérets jaune citron en réserve?

LA VENDEUSE Je suis désolée Monsieur. Nous n'en avons pas. Mais nous avons ces chapeaux à un prix très intéressant. [*elle lui montre un chapeau triangulaire*]

LE CLIENT Nom d'un chien! Qu'est-ce que c'est que ça?

LA VENDEUSE C'est un tricorne, Monsieur, une nouvelle création de la Maison. Il est imperméable, réversible, et vous pouvez le laver à la machine.

LE CLIENT Pouah! Je n'aime pas la couleur. Est-ce que vous l'avez en jaune citron?

LA VENDEUSE Mais oui, voilà, Monsieur.

LE CLIENT Qu'est-ce que c'est comme tissu?

LA VENDEUSE Il est en nylon, Monsieur.

LE CLIENT Puis-je l'essayer?

LA VENDEUSE Bien sûr, Monsieur. Voici un miroir.

LE CLIENT Il est trop petit pour moi. Avez-vous quelque chose de plus grand?

LA VENDEUSE De plus grand? Voilà Monsieur.... Je vous assure, Monsieur, ces chapeaux sont très à la mode chez les officiers.

LE CLIENT Comment est-ce qu'il me va?

LA VENDEUSE Il vous va bien, Monsieur. Et d'ailleurs, il va bien avec votre perruque.

LE CLIENT Je le prends. Et aussi, dites-moi, Mademoiselle, avez-vous des médailles militaires en réserve? C'est pour mes cadeaux de Noël.

1 *Look at what the customer said in the opening sketch, and pick out the French for:*

a) I'd like to buy a hat.
b) Do you stock lemon coloured berets?
c) I don't like the colour.
d) Do you have it in lemon?
e) What material is it?
f) May I try it on?
g) It's too small for me.
h) Do you have something bigger?
i) How does it suit me?
j) I'll take it.

Now look at the sales assistant's lines and pick out the French for:

k) Can I help you?
l) What sort of hat?
m) We don't have any.
n) waterproof
o) reversible
p) You can machine-wash it.
q) It's nylon.
r) Here's a mirror.
s) very fashionable
t) It suits you well.
u) It goes with your wig.

2 *Here is an assortment of lines from various conversations in a clothes shop. Decide which are likely to have been said by the sales assistant, and which by the customer.*

a) Vous désirez, Mademoiselle?
b) Est-ce que cette cape est imperméable?
c) Je vous assure, Madame, que ces jupes sont très à la mode.
d) Je n'aime pas les boutons.
e) Qu'est-ce que c'est comme tissu?
f) Elle vous va bien, Madame.
g) Il est en fourrure.
h) Cette chemise va bien avec mon jean.
i) Je voudrais acheter un pantalon.
j) Quelle sorte de pantalon?
k) Est-ce que ce manteau est réversible?
l) Bien sûr, vous pouvez les laver à la machine.
m) Puis-je l'essayer?
n) Est-ce que vous l'avez en coton?
o) Est-ce que vous avez des bottes en réserve?
p) Nous n'en avons pas, Monsieur.
q) Le col est trop grand pour moi.
r) Comment est-ce qu'elle me va, cette robe?
s) Elle vous va bien, Madame.
t) Avez-vous quelque chose de plus petit?
u) Je la prends.

3 *Julie is sorting out the contents of an old trunk which her grandparents have left her. She puts any summer clothes she finds into a drawer; winter clothes go into a wardrobe, and any non-clothes items are left in the trunk. Work out what goes where.*

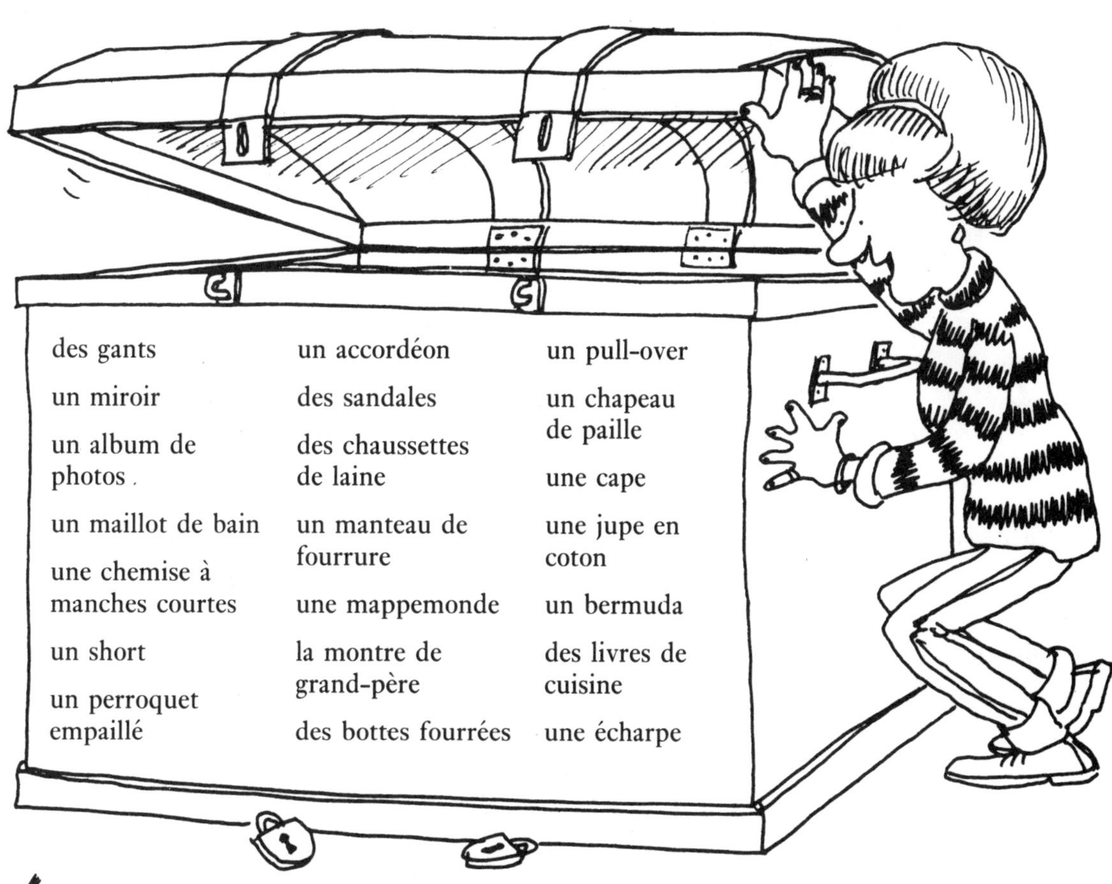

4 *Fill in the gaps.*

VENDEUR Bonjour, Madame. Vous d______ ?
CLIENTE Je v_______ acheter une écharpe, s'il vous plaît.
VENDEUR Je suis désolé, Madame. Nous n'en a____ p__ .
CLIENTE Pas d'écharpes? Alors, est-ce que vous a___ des pulls en rés____ ?
VENDEUR Oui, Madame. Ce pull noir est très à la m___ .
CLIENTE P___-je l'e______ ?
VENDEUR Certainement, Madame. Voici un m____r.
CLIENTE Hum. Il est t___ grand pour m__ , Monsieur. Ce n'est pas une tente que je veux.
VENDEUR Celui-ci en vert émeraude est moins grand, Madame.
CLIENTE Merci, Monsieur.... Il me v_ b___ ?
VENDEUR Mais oui, il vous v_ très b___ . Et il v_ b___ avec votre pantalon rose.
CLIENTE Dans ce cas je le p_____ .

5 *You have just walked into a clothes shop. Can you get by in French?*

VENDEUR Bonjour, Monsieur. Vous désirez?
[*Say you want to buy a red pullover*]

VENDEUR Je suis désolé, Monsieur. Nous n'en avons pas.
[*Ask if they stock black pullovers*]

VENDEUR Non, mais ces pull-overs gris à col en V sont très à la mode.
[*Say you don't like the colour and ask if they have it in blue*]

VENDEUR En bleu? Certainement, Monsieur. Voilà.
[*Ask if you can try it on*]

VENDEUR Bien sûr. Voici un miroir, Monsieur.
[*Ask if it suits you*]

VENDEUR Mais oui. Il vous va très bien.
[*Ask if it goes with your shirt*]

VENDEUR Il va très bien avec votre chemise, Monsieur.
[*Say you'll take it*]

6 *Make up a sketch of your own using the main phrases learned so far. Here are some extra phrases which you may wish to include.*

Vous faites quelle taille?	What size do you take (clothes)?
du 40	size 40
Je peux prendre vos mesures?	Can I measure you?
Je voudrais la taille {au-dessus / en dessous	I'd like a size {bigger / smaller
Ces vêtements sont en solde	These clothes are in the sale
Est-ce qu'il déteint?	Will the colour run?
Est-ce qu'il rétrécit au lavage?	Does it shrink?
Il y a un défaut de fabrication	There's a fault
Ça coûte combien?	How much is it?
Allez payer à la caisse	Pay at the till

des gants	gloves
des chaussures	shoes
des chaussettes	socks
un collant	tights
un slip	underpants
une culotte	knickers
un pantalon	trousers
une jupe	skirt
une ceinture	belt
un chemisier	blouse
un chandail	sweater
un anorak	anorak
un blouson	casual jacket

en cuir	leather (made of)
en coton	cotton
en laine	wool
en acrylique	acrylic
à manches courtes	short sleeved
àmanches longues	long sleeved
à carreaux	checked
à rayures	striped
à pois	polka dotted

16 Bon débarras!

A situational playlet set at the cinema

Jules a persuadé Jacques de l'accompagner au cinéma pour voir un film comique. Jacques est mécontent parce qu'il préfère les films d'horreur. Ils s'approchent de l'ouvreuse.

L'OUVREUSE Vos billets, s'il vous plaît . . . Suivez-moi. [*Elle leur montre leurs places*]
JULES Jacques, as-tu un pourboire pour l'ouvreuse?
JACQUES C'est toujours moi, hein! Voilà, Mademoiselle. C'est quel film?
L'OUVREUSE Celui-ci? C'est le documentaire sur les fleurs des Alpes.
JACQUES On est trop près de l'écran.
JULES Tais-toi! Toutes les autres places sont occupées. La salle est pleine.
JACQUES Mademoiselle, le film principal commence à quelle heure?
L'OUVREUSE À huit heures.
JACQUES Et il finit à quelle heure?
L'OUVREUSE À dix heures et demie. Je vous prie de ne pas parler.
JACQUES Jules, tu connais «Le Bal des Vampires»?
JULES Oui, il se passe au Gaumont.

[*L'ouvreuse trouve soudain la solution, sourit mystérieusement, et disparaît*]

JACQUES Est-ce que tu veux aller le voir?
JULES Moi, j'ai payé et je reste ici.

[*Après quelques précieuses minutes de silence*]

JACQUES Tu ne préférerais pas «Le Bal des Vampires»? Il est interdit au moins de dix-huit ans.
L'OUVREUSE [*qui est revenue*] J'ai réservé deux places au Gaumont pour vous, et un taxi, avec les compliments du directeur.
JACQUES Super!
JULES C'est bien, Jacques. Tu as gagné. Personne ne nous aime ici.

[*Ils quittent la salle*]

L'OUVREUSE Enfin, bon débarras!

1 *Look at the sketch again and pick out the French for:*

1) Your tickets, please.
2) Follow me.
3) a tip for the usherette
4) What film is it?
5) It's a documentary.
6) too near the screen
7) It's a full house.
8) What time does the main film start?
9) What time does it finish?
10) It's on at the Gaumont.
11) Do you want to go and see it?
12) It's an adults only.
13) I've reserved two seats.

2 *Which of the following statements about the opening sketch are true, and which are false?*

1) Jacques préfère les films comiques.
2) Jacques et Jules donnent leurs billets à l'ouvreuse.
3) Il y a des fleurs pour l'ouvreuse.
4) Le film principal est un documentaire.
5) Tous les taxis sont occupés.
6) Le film principal commence à huit heures.
7) Il finit à dix heures.
8) 'Le Bal des Vampires' se joue au Gaumont.
9) Jules veut aller le voir.
10) Le film au Gaumont est réservé aux adultes.
11) Deux places sont réservées au Gaumont.

3 *Fill in the gaps in these two conversations using the words given beneath.*

(a)
SOPHIE 25-63-42. Allô? Le cinéma Olympique?
VOIX AU TÉLÉPHONE Oui.
SOPHIE C'est quel __________ ce soir, s'il vous plaît?
VOIX AU TÉLÉPHONE 'La Guerre des Étoiles'.
SOPHIE Il __________ à quelle heure?
VOIX AU TÉLÉPHONE À huit __________ , dans vingt minutes. Mais je regrette, la salle est __________ .
SOPHIE Ça ne fait rien. Merci, au revoir.

(b)
THÉRÈSE Tiens, Marcel. Tu connais 'Voyage au bout de l'Espace'?
MARCEL C'est un __________ , non?
THÉRÈSE Idiot! C'est un film de science-fiction. Il se __________ au Rex.

MARCEL	Il est __________ aux moins de dix-huit ans?
THÉRÈSE	Mais non. Aux moins de treize __________ seulement. Tu veux aller le __________ ?
MARCEL	Peut-être. Il finit à __________ heure?
THÉRÈSE	Pas de problème pour le dernier bus. Il finit à __________ heures et demie.

commence / pleine / dix / interdit / film / documentaire / quelle / voir / ans / joue / heures

4 *Using the key phrases you have learned, make up a conversation based on the picture and words below.*

MME SEURAT	Allô? C'est le Royal?
L'EMPLOYÉ DU CINÉMA	....
MME SEURAT	Et ça coûte combien?
	....
	....
	....
	....

5 *Make up a sketch based on the picture sequence below. There are extra phrases which you may wish to use.*

Qu'est-ce qui se joue au Plaza?	What's on at the Plaza?
Il y a un nouveau film	There's a new film
C'est un bon film	It's a good film
Je n'ai pas d'argent	I've no money
Combien de temps dure le film?	How long does the film last?
Il dure deux heures	It lasts two hours
séance permanente	continuous performance
interdit de fumer	smoking prohibited
le guichet	ticket office
la salle	auditorium

un film de science-fiction	a science fiction film
un film policier	a thriller
un film d'amour	a romance
un film-annonce	a trailer
un film excellent	an excellent film
un film émouvant	a moving film
un film banal	a banal film
un film triste	a sad film
un film amusant	a funny film
un film anglais	an English film
un film américain	an American film
un film allemand	a German film
un dessin animé	a cartoon
un western	a western

17 C'est le cirque au camping

A situational playlet based at a campsite

Un cirque ambulant arrive dans un camping. On commence à garer les caravanes et planter des tentes. La propriétaire du cirque, accompagnée d'un clown, entrent à la réception. Le gardien est étonné.

LE CLOWN Holà! Bonjour! Salut! Nous avons réservé un emplacement.
LE GARDIEN Vraiment? Sous quel nom?
LA PROPRIÉTAIRE Jolitemps, Cirque Jolitemps.
LE GARDIEN Je n'ai pas de réservation sous ce nom. Vous avez réservé par lettre?
LE CLOWN Mais oui, je peux le prouver. J'ai la lettre ici, dans ma poche. La voilà.
LA PROPRIÉTAIRE Espèce d'idiot! Tu as oublié de la poster. Cher Monsieur, avez-vous encore de la place pour cette nuit?
LE GARDIEN Je regrette, le camping est plein.
LE CLOWN C'est faux! Il y a beaucoup de place! Vous êtes anti-cirque, non? Notre argent ne vous intéresse pas?
LE GARDIEN Hum. Vous êtes combien?
LE CLOWN Voyons. . . . Il y a Claude le jongleur, Lola l'acrobate. . . .
LA PROPRIÉTAIRE Nous avons dix caravanes et cinq tentes.
LE GARDIEN C'est pour combien de nuits?
LE CLOWN Une nuit seulement. Ça fait combien?
LE GARDIEN Cinq cents francs.

LA PROPRIÉTAIRE	Une jolie somme. Et nous sommes sans le sou en ce moment.
LE CLOWN	Nous vous payerons après la représentation de ce soir.
LE GARDIEN	Quoi? Quelle représentation?
LA PROPRIÉTAIRE	Viens, Coco. On va planter le grand chapiteau entre les lavabos et le magasin. [*Et ils sortent*]

1 *Look at the sketch again and pick out the French for:*

a) to park the caravans
b) to pitch tents
c) at the reception
d) the warden
e) We've booked a site.
f) What's the name?
g) I have no booking under that name.
h) Do you have any vacancies for tonight?
i) The campsite is full.
j) There's lots of room.
k) How many are you?
l) We have ten caravans.
m) For how many nights?
n) Just one night?
o) How much is that?
p) the washrooms
q) the shop

2 *By solving each clue down discover the mystery word across. All the words concerned are to be found in the sketch.*

1) Le gardien demande, 'C'est pour __________ de nuits?'
2) Un terrain pour tentes et caravanes? C'est un __________ .
3) Le bureau à l'entrée d'un camping s'appelle la __________ .
4) Tous les emplacements sont occupés: le camping est __________ .
5) Les campeurs se lavent aux __________ .
6) Le camping n'est pas complet. Il y a beaucoup de __________ .
7) Le clown dit 'Nous avons __________ un emplacement', mais c'est faux.
8) Le gardien n'a pas de réservation sous le __________ de Jolitemps.
9) Les campeurs commencent à planter des tentes et à __________ des caravanes.
10) Une maison en métal sur deux roues? C'est une __________ .
11) L'automobiliste vient avec une caravane mais le cyclotouriste dort dans une __________ .

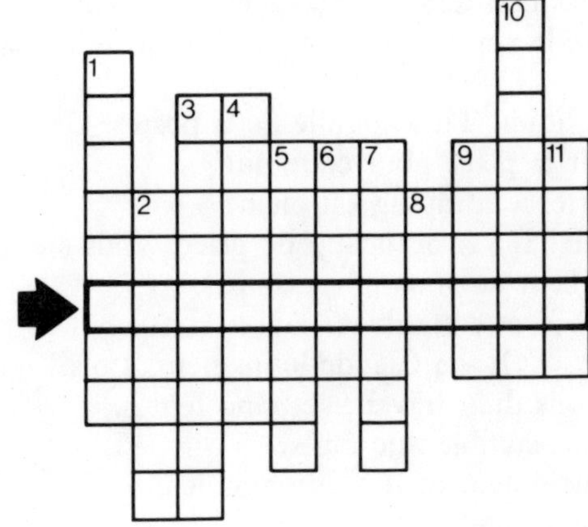

3 *Here is a conversation between a newly arrived camper and the campsite warden. The warden's lines (on the right) are in the correct order. The camper's lines (on the left) need to be put in the correct order for the conversation to make sense.*

The camper says:

1) Sous le nom de Ravel.
2) Six. Et un chat noir. Où est notre emplacement, s'il vous plaît?
3) Ce n'est pas très agréable là-bas. Avez-vous un autre emplacement?
4) Complet? Impossible! Monsieur, nous resterons une nuit seulement. Nous n'aimons pas cet emplacement.
5) Bonjour. C'est bien le Camping Marguerite?
6) Oui, nous avons réservé un emplacement.

The warden says:

a) Oui, c'est ça. Je peux vous aider?
b) Sous quel nom, Madame?
c) Merci . . . Ravel . . . Oui, j'ai votre réservation ici. Vous êtes combien?
d) Le vôtre est à gauche. Entre la réception et les lavabos.
e) Difficile. Le camping est plein pour ce soir.
f) Je comprends, Madame. Signez ici s'il vous plaît. Ça fait cinquante francs pour une nuit.

4 *Fill in the gaps.*

a) 'Allô? Ici le Camping Duroche.
– Le douze juillet?
– Vous avez r______ un e___________ ?
– Je regrette, le c______ est p____ .
– Ce n'est pas de ma faute. Au revoir.'

b) 'Allô? Ici le Camping Duroche.
– Le trois mai?
– Oui, nous avons de la p____ .
– Vous êtes c______ ?
– Et c'est pour _______ de n____ ?
– Sept? Oui, c'est possible.
– Ça fait quarante francs par nuit.
– Au revoir.'

c) 'Allô? Ici le Camping Duroche.
– Oui, je suis le g______ .
– Une r___________ pour le dix-huit juin?
– Sous quel ___ ?
C'est pour une c_______ ou une t____ ?
– Ça fait soixante francs par n___ .
– Vous pouvez confirmer par lettre?
Parfait. Au revoir.'

5 *Fill in the missing lines of these conversations by following the English guidelines.*

(a)

LE GARDIEN Je peux vous aider?
[*Say you've booked a site*]
LE GARDIEN Sous quel nom, s'il vous plaît?
[*Give your name*]
LE GARDIEN C'est bizarre. Je n'ai pas de réservation sous ce nom.
[*Say it's impossible. You have booked*]
LE GARDIEN Ah, si! Voici votre réservation. Pardon.
[*Ask where the washroom is*]
LE GARDIEN Vous continuez tout droit. Les lavabos sont à gauche.
[*Ask where the shop is*]
LE GARDIEN À côté des lavabos. Voulez-vous signer ici, s'il vous plaît? . . . Merci.

(b)

LE GARDIEN Bonjour. Vous avez réservé?
[*No. Ask if they have any vacancies for tonight*]
LE GARDIEN Il reste un seul emplacement de libre.
[*Thank him. Say it's for just one night*]
LE GARDIEN C'est bien. C'est pour une caravane?
[*No, it's for a tent*]
LE GARDIEN Plantez votre tente à l'emplacement cinq et revenez plus tard. Je suis occupé en ce moment.

6 *Make up sketches of your own. These pictures and phrases may give you some ideas.*

Pouvons-nous camper ici?	Can we camp here?
Il est recommandé par le Touring Club de France	It's recommended by the Touring Club of France
Où est-ce que je peux garer { ma voiture? / mon scooter? / ma moto? }	Where can I park { my car? / my scooter? / my motorbike? }
Il y a trop de bruit	There's too much noise
Nous partons demain	We're leaving tomorrow
Est-ce que je peux acheter { du lait / des allumettes / une bouteille de butane } ici?	Can I buy { milk / matches / a canister of butane } here?

18 Où es-tu, Homard?

A situational playlet set in a lost property office

Histoire vraie: le poète Gérard de Nerval (1808–1855) aimait se promener dans les parcs de Paris, avec un homard en laisse. Mais la scène suivante est imaginée.

NERVAL C'est bien le bureau des objets trouvés ici?
L'EMPLOYÉE Oui, Monsieur. Vous avez perdu quelque chose?
NERVAL C'est très grave. J'ai perdu mon petit Benoît.
L'EMPLOYÉE Pour les enfants perdus il faut aller au poste de police.
NERVAL Non, non! Benoît est un homard.
L'EMPLOYÉE Un homard? Mais... Où l'avez-vous perdu?
NERVAL Dans le Bois de Boulogne. Il jouait dans une flaque d'eau et tout d'un coup il a disparu.
L'EMPLOYÉE Quand l'avez-vous perdu?
NERVAL Il y a une heure. J'ai cherché partout.
L'EMPLOYÉE Donnez-moi une description de votre homard.
NERVAL Un crustacé marin à grosses pinces. Il fait quarante centimètres de long.
L'EMPLOYÉE De quelle couleur est-il?
NERVAL Bleu, marbré de jaune.

L'EMPLOYÉE Voyons... Non, je regrette, on n'a pas apporté de homard. Voulez-vous remplir cette fiche?

NERVAL Bien sûr... Ah! Comment vivre sans Benoît?

L'EMPLOYÉE Calmez-vous, Monsieur, et revenez demain.

NERVAL Ah! Je vais me consoler dans la poésie: [*Il déclame*]

C'est moi, Benoît,
Qui suis perdu sans toi!
Es-tu en danger
D'être mangé?

[*Et, en pleurant, il quitte le bureau*]

1 *Here are some sentences and phrases taken from the sketch, but with a few changes of detail. Fill in the gaps.*

a)	Have you lost something?	Vous ____ _____ _______ _____ ?
b)	I've lost my snake.	J'ai _____ mon serpent.
c)	You must go to the police station.	Il ____ _____ au _____ de police.
d)	Where did you lose it?	__ l'____-____ _____ ?
e)	When did you lose it?	_____ l'____-____ _____ ?
f)	Two hours ago.	__ _ _ deux heures.
g)	I've looked everywhere.	J'ai _______ _______ .
h)	Could you describe your snake.	_________-moi votre serpent.
i)	Eighty centimetres long.	Quatre-vingt ___________ __ ____ .
j)	What colour is it?	__ ______ _______ ___ il?
k)	No-one's brought in a snake.	__ n'a pas _______ de serpent.
l)	Could you fill in this form.	______-____ _______ _____ _____ ?
m)	Come back tomorrow.	_______ demain.

2 *This conversation took place in a lost property office. From each bracket choose the word or phrase which seems most likely.*

L'EMPLOYÉ Bonjour, Madame. Vous avez [mangé / rempli / perdu] quelque chose?

LA DAME Oui, Monsieur. J'ai perdu un petit [poète / paquet / agent de police]. Il contenait des papiers importants. J'ai cherché [partout / nulle part / dans ma chaussette].

L'EMPLOYÉ [Quand / Où / Pourquoi] l'avez-vous perdu?

LA DAME Il y a deux [semaines / heures / secondes], je crois. Dans [la baignoire / le parc / le bureau des objets trouvés].

L'EMPLOYÉ Donnez-moi une [prescription / description / histoire] de votre paquet.

LA DAME Il a [trois mètres / trente centimètres / trois centimètres] de long, quinze de large....

L'EMPLOYÉ De quelle [qualité / valeur / couleur] est-il?

LA DAME Il est marron.

L'EMPLOYÉ Non, on n'a pas [regretté / apporté / perdu] votre paquet. Revenez demain, Madame.

3 *Madame Mersault is at the lost property office. The clerk's lines are in the correct order. Rearrange Madame Mersault's lines so that the whole conversation makes sense.*

The clerk says:

1) Vous avez perdu quelque chose?
2) Décrivez-moi votre appareil.
3) Où l'avez-vous perdu?
4) Et quand?
5) Vous êtes allée au poste de police?
6) On ne l'a pas apporté ici. Pouvez-vous revenir demain?

Madame Mersault says:

a) Je ne suis pas sûre. Ce matin. Il y a . . . trois heures.
b) Oui, mon appareil-photo.
c) Il est automatique, dans un étui noir.
d) Juste après. Mais l'agent au guichet m'a dit de venir ici.
e) Bien sûr. À neuf heures demain matin.
f) Je ne sais pas. Dans le centre, quelque part en ville.

4 *You are at a lost property office. Can you get by in French?*

(a) L'EMPLOYÉE Bonjour. Vous avez perdu quelque chose?
[*Say you've lost a scarf (une écharpe)*]
L'EMPLOYÉE Ah, oui? Quand l'avez-vous perdue?
[*Three hours ago. You've looked everywhere*]
L'EMPLOYÉE Décrivez-moi votre écharpe.
[*It's red and blue. Sixty centimetres long*]
L'EMPLOYÉE Je regrette, on n'a pas apporté d'écharpe. Mais revenez demain.
[*Thank her and say goodbye*]

(b) L'EMPLOYÉE Bonjour. Je peux vous aider?
[*Say you've lost an address book (un carnet d'adresses)*]
L'EMPLOYÉE Où l'avez-vous perdu?
[*You lost it at the shopping centre (au centre commercial)*]
L'EMPLOYÉE Décrivez-le moi.
[*It's twenty centimetres long, ten centimetres wide*]
L'EMPLOYÉE Vous vous appelez?
[*Give your name*]
L'EMPLOYÉE Oui, on a apporté votre carnet. Voulez-vous remplir cette fiche?

5 *Here are some phrases you may need when describing things.*

Colour

bleu clair	light blue
bleu foncé	dark blue
à carreaux	checked
à rayures	striped

Size

20 centimètres { **de long** / **de large** / **de haut** / **d'épaisseur** } — 20 centimetres { long / wide / high / thick }

Material

en cuir	leather (made of)
en coton	cotton
en laine	wool
en or	gold
en argent	silver

Miscellaneous

Il était en quel état?	What condition was it in?
Qu'est-ce qu'il contenait?	What was in it?
C'est un objet de valeur.	It's valuable.
J'offre une récompense.	I'm offering a reward.
dans un étui	in a case

Now make up sketches of your own set in a lost property office. Here are some ideas for things which might have been lost.

J'ai perdu	**un appareil-photo**	a camera
	un manteau	a coat
	une valise	a suitcase
	mon passeport	my passport
	mon imperméable	my raincoat
	mon portefeuille	my wallet
	mon porte-monnaie	my purse
	ma guitare	my guitar
	mes gants	my gloves
	mes lunettes	my glasses

19 Danger! Produits Inflammables!

A situational playlet based on getting a lift

Marcel rentre chez lui à pied. Soudain, un vieux camion-citerne s'arrête. En voyant que le camion transporte de l'essence, Marcel décide qu'il ne veut pas monter dedans.

LE CAMIONNEUR Je peux vous conduire quelque part?

MARCEL Ah non, merci. Je préfère aller à pied.

LE CAMIONNEUR À pied? Peuh! Montez! Montez donc!

MARCEL Vous allez à Coutances?

LE CAMIONNEUR Bien sûr. Je vais à Gavray. Coutances est sur la route.

MARCEL Vous êtes très gentil, Monsieur. Mais je vais à Agon.

LE CAMIONNEUR Pas de problème. Je vous conduis à Agon. J'ai assez d'essence comme vous voyez.

MARCEL Ah non, c'est trop loin, Agon.

LE CAMIONNEUR Ça ne fait rien. Montez!

[*Un peu inquiet, Marcel monte dans le camion, qui fait bientôt du cent kilomètres à l'heure*]

Attachez votre ceinture. J'aime rouler vite.

MARCEL Hum. Ça sent l'essence.

LE CAMIONNEUR Ah oui? Ça vous surprend? Ça vous dérange si je fume?

MARCEL Oui! C'est à dire . . . Non! J'ai des crampes. Il faut que je me promène un peu. Pouvez-vous me déposer ici?

LE CAMIONNEUR Si vous voulez.

[*Le camion s'arrête et Marcel disparaît vite à travers les champs*]

Tiens, ses crampes sont vite parties.

1 *Look at the lorry driver's lines and pick out the French for:*

1) Can I give you a lift?
2) Jump in.
3) I'm going to Gavray.
4) Coutances is on the way.
5) I'll take you to Agon.
6) Fasten your seat belt.

Look at Marcel's lines and pick out the French for:

1) Are you going to Coutances?
2) That's very kind of you.
3) I'm going to Agon.
4) It's too far.
5) Could you drop me off here?

2 *Henri has just passed his driving test. He offers a lift to Madame Nerval, who is standing at a bus stop. Fill in the gaps using the words below.*

HENRI Comment ça va, Madame Nerval? Je ________ vous conduire quelque part?

MME NERVAL Bonjour, Henri. Vous ________ à la gare?

HENRI Bien sûr! Montez! Je vous ________ à la gare.

MME NERVAL Mais je vais ________ la mairie, Henri. C'est trop ________ pour vous. Vous êtes très ________ mais je préfère aller en ________ . C'est moins dangereux.

HENRI Montez donc, Madame Nerval. J'ai mon permis de conduire dans la poche. [*Elle monte dans l'auto*]

MME NERVAL ________ votre ceinture, Henri. C'est toujours dangereux en auto. . . . Merci, Henri. Pouvez-vous me ________ ici?

allez / déposer / loin / bus / gentil / attachez / à / conduis / peux

3 *Which of these lines are more likely to have been spoken by a driver, and which by a person being offered a lift?*

a) Je peux vous conduire à Colmar?
b) Je vais à Montreuil. Montez donc!
c) Vous êtes très gentille. Mais Arles, c'est trop loin.
d) Merci, mais je préfère prendre le train.
e) Mettez la valise sur le siège arrière et n'oubliez pas votre ceinture.
f) Pouvez-vous me déposer devant la boulangerie?
g) Il va pleuvoir. Je vous conduis au cinéma.
h) Vallorbe est sur votre route. Vous pouvez me déposer là-bas.

4 *You are being offered a lift. Can you get by in French?*

L'AUTOMOBILISTE Vous allez à Metz?
[*No, You're going to Dieuze*]
L'AUTOMOBILISTE Pas de problème. Je peux vous conduire à Dieuze.
[*Tell him it's too far*]
L'AUTOMOBILISTE Mais non, c'est sur ma route. Montez donc, et attachez votre ceinture.
[*It's good of him, but can he drop you off at the station?*]

This time it is you who is offering a lift, to Monsieur Date.
[*Ask him if he wants a lift*]
MONSIEUR DATE C'est à dire. . . . Je vais à Bonneville.
[*You are going to Roubaix. Bonneville is on the way*]
MONSIEUR DATE C'est parfait! Vous êtes très gentille.
[*Tell him to get in and fasten his seat belt*]

5 *Now make up sketches of your own. You can use these pictures and words.*

Il est interdit de faire du stop sur l'autoroute	Hitch-hiking is forbidden on the motorway
Nous vous conduisons à la prochaine sortie	We'll take you to the next exit

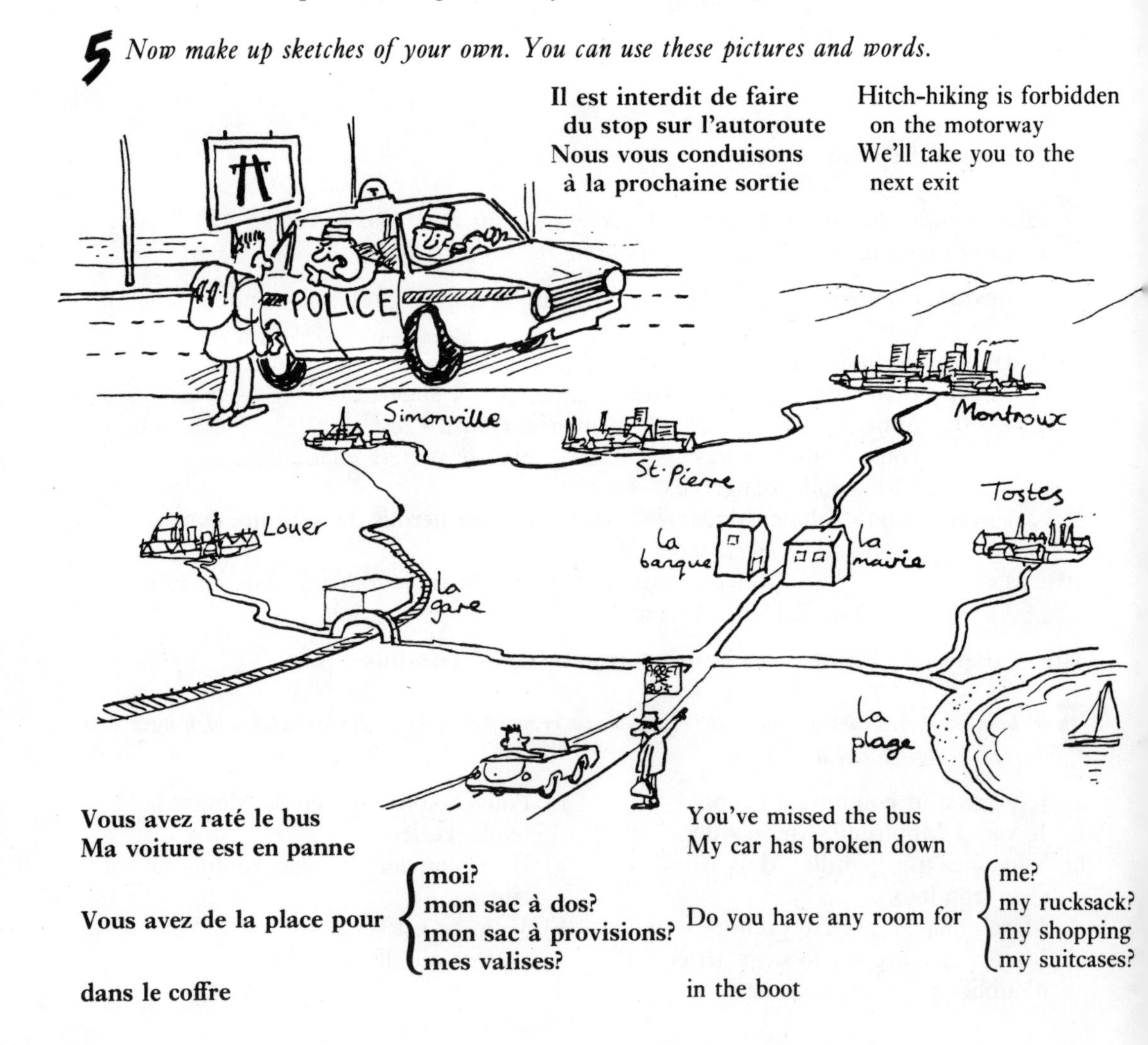

Vous avez raté le bus	You've missed the bus
Ma voiture est en panne	My car has broken down
Vous avez de la place pour { **moi?** / **mon sac à dos?** / **mon sac à provisions?** / **mes valises?**	Do you have any room for { me? / my rucksack? / my shopping / my suitcases?
dans le coffre	in the boot

20 Tout à déclarer

A situational playlet set at a border crossing

Un perroquet sur l'épaule, un bandeau sur l'oeil, un homme s'approche de la douane.

LE DOUANIER Votre passeport, s'il vous plaît . . . Hum. Capitaine Barbe-Bleue. Quel est le but de votre séjour?

BARBE-BLEUE Je vais à une conférence sur la sécurité maritime.

LE DOUANIER Et vous allez rester combien de temps en France?

BARBE-BLEUE Deux semaines.

LE DOUANIER Avez-vous quelque chose à déclarer? Des objets de valeur? Du tabac? Du parfum?

BARBE-BLEUE Non, je n'ai rien à déclarer.

LE DOUANIER Pouvez-vous ouvrir votre malle, s'il vous plaît.

BARBE-BLEUE [*Il ouvre la malle*] C'est une petite collection de trésors. Pour usage personnel, vous comprenez.

LE DOUANIER Il faut payer des droits de douane. Et votre valise. [*Barbe-Bleue l'ouvre*] Ha! Des montres digitales! Votre explication?

BARBE-BLEUE Je les ai achetées hors-taxe sur le bateau.

LE DOUANIER Vous avez un ticket de caisse?

BARBE-BLEUE Monsieur, ne faites pas trop de zèle. Ce sont des cadeaux pour mes petits-enfants. Tenez, voici une montre pour vous aussi.

LE DOUANIER Trop aimable. Moi aussi je vais être généreux. Je vous offre cinq semaines de prison; et pour votre perroquet: la quarantaine.

1 *Look at the sketch again and find the French for:*

a) your passport
b) What's the purpose of your visit?
c) I'm going to a conference.
d) How long will you be staying in France?
e) two weeks
f) Do you have anything to declare?
g) I've nothing to declare.
h) Could you open your trunk, please.
i) for personal use
j) You'll have to pay duty.
k) I bought them duty-free on the boat.
l) Do you have a receipt?
m) They are presents.

2

1 2 3 4 5 6 7 8 9 10 11 12 13 14 15 16 17 18 19 20

Horizontal

1) Voici une malle: , et voici une __________ : .
4) Le douanier travaille à la __________ .
5) Des montres, des antiquités, des diamants: ce sont des __________ de valeur.
6) Vous avez quelque chose à déclarer? – Non, je n'ai __________ à déclarer.
8) Les montres digitales, ce sont des cadeaux __________ les petits-enfants de Barbe-Bleue.
9) Le douanier trouve un trésor dans la __________ .
12) Il faut payer des __________ de douane.
14) Celui qui travaille à la douane est un __________ .
15) Voici une bouteille de __________ .
17) Un __________ est un document très important pour les touristes.
19) Barbe-Bleue a acheté les montres __________ le bateau.
20) Le douanier demande un __________ de caisse.

Vertical

2) Le but du __________ de Barbe-Bleue, c'est une conférence.
3) Vous faites de la contrebande, oui ou __________ ? – Non, je n'ai rien à déclarer.
4) Beaucoup de touristes ont quelque chose à __________ .
7) Barbe-Bleue dit 'Je __________ à une conférence'.
8) Ces cigares sont pour usage __________ .
10) Sur le bateau on peut acheter des choses hors __________ .
11) Le douanier trouve des __________ dans la valise de Barbe-Bleue.
13) Vous allez rester combien de __________ en Belgique?
16) Ce parfum est pour __________ personnel.
18) Le __________ de mon séjour, c'est un tour en vélo.

3 *Can you get by in French at the customs?*

LA DOUANIÈRE Votre passeport, s'il vous plaît... Merci. Quel est le but de votre séjour?
[*Say you're going to Lausanne on holiday (en vacances)*]

LA DOUANIÈRE Vous allez rester combien de temps en Suisse?
[*Three weeks*]

LA DOUANIÈRE Avez-vous quelque chose à déclarer?
[*No, you have nothing to declare*]

LA DOUANIÈRE Pouvez-vous ouvrir votre valise, s'il vous plaît, et votre sac à dos. Ah! De l'or! Des diamants!
[*Say they are for personal use*]

LA DOUANIÈRE Vous vous moquez de moi? C'est de la contrebande!
[*Say they are presents for your mother*]

LA DOUANIÈRE Il faut payer des droits de douane.
[*Say you bought them tax-free*]

LA DOUANIÈRE Assez! Venez avec moi. On va vérifier tous vos bagages.

4 *Make up sketches of your own. Here are some ideas if you need them.*

Un / une millionnaire va à Cannes pour acheter un yacht.
Un boulanger / une boulangère va à une conférence sur la farine complète.
Un espion / une espionne est en mission secrète.
Un auto-stoppeur / une auto-stoppeuse va faire du stop.
Un / une touriste va à Paris pour voir la Tour Eiffel.
Un / une élève prend part à un échange scolaire.
Un musicien / une musicienne a un concert le soir-même.
Un coureur-cycliste / une coureuse-cycliste va prendre part au Tour de France.

quatre jours	four days
un mois	a month
Je suis pressé(e)	I'm in a hurry
des lingots d'or	gold ingots
une baguette	a long loaf
un microfilm	a microfilm
assez d'argent	enough money
des souvenirs	souvenirs
un violon	a violin
sans autorisation d'exportation	without an export licence
de la drogue	drugs

Extra Vocabulary

1	
d'une voix forte	loudly
à voix basse	quietly
taisez-vous	be quiet
lentement	slowly
2	
l'emploi	job
un ordinateur	computer
un interrupteur	a switch
des milliers de gens	thousands of people
en bas	down below
3	
la mairie	town hall
Qui est à l'appareil?	Who's speaking?
le bâtiment	building
plus tard	later
4	
poli	polite
essaie	try
horrible	horrible
ça me suffit	that's enough for me
pousser un cri	to shout out
l'huile de table	cooking oil
la bulle	bubble
le mot	note, message
5	
la serveuse	waitress
il se prend pour un . . .	he thinks he's a . . .
le hors d'oeuvre	a starter course before the main meal
le radis	radish
chuchoter	to whisper
la boisson	drink
6	
la fourrure	fur
s'ennuyer	to be bored
dédaigneux	haughty
soit . . . soit . . .	either . . . or . . .
remplir une fiche	to fill in a form
7	
une enseigne	sign
une pancarte	a notice
la livre	pound (money)
une affaire exceptionnelle	a bargain
toucher un chèque	to cash a cheque
la caisse	till
sans bouger	without moving
8	
peu de gens	few people
le syndicat d'initiative	tourist information office
les heures d'ouverture	opening times
volé	stolen
louer	to hire
inoubliable	unforgettable
9	
le timbre	stamp
le colis	parcel
le déménagement	moving house
soulever	to lift up
trop lourd	too heavy
remplir un formulaire	to fill in a form
pour la douane	for the customs
sors vite	get out quick
10	
le guichet	ticket office
la mobylette	moped
dépêchez-vous	hurry up
rater le train	to miss the train
le prochain	the next one
sauter	to jump
démarrer	to start the engine
à toute vitesse	at top speed
11	
le conducteur	driver
le capot	bonnet
se soulève	lifts up
le pneu	tyre
nettoyer	to clean
le pare-brise	the windscreen
tant pis	never mind
le bidon	can (of oil)
12	
une ordonnance	prescription
guérir	to cure

brûler to burn
la cuillerée tablespoonful
remercier to thank

13

vous verrez you'll see
la tour tower
le tour long distance bike race
le sentier footpath
le moulin mill
par-dessus la barrière over the gate
la plaisanterie joke
énerver to annoy
pressé in a hurry

14

un renard a effrayé les poules a fox has frightened the chickens
ça suffit that's enough

15

le tricorne three cornered hat
le rayon shelf
corse Corsican
en réserve in stock
imperméable waterproof
essayer to try on
d'ailleurs apart from that
la perruque wig
les cadeaux de Noël Christmas presents

16

une ouvreuse usherette
suivez-moi follow me
le pourboire tip
l'écran screen
la salle auditorium / house
interdit prohibited
gagner to win
Bon débarras! Good riddance!

17

le cirque ambulant travelling circus
un emplacement site (for a tent or caravan)
sans le sou broke (no money)
la représentation performance
le grand chapiteau big top

18

le homard lobster
en laisse on a lead
la flaque d'eau puddle
tout d'un coup all of a sudden
vivre to live

19

le camion-citerne tanker (lorry)
l'essence petrol
Ça sent . . . there's a smell of . . .

20

le perroquet parrot
le bandeau headband
la douane customs
le but purpose, reason
le séjour stay, visit
la malle trunk
les droits de douane customs duty
la valise suitcase
la caisse till